GRACZE
RENATA CHACZKO

ZYSK I S-KA
WYDAWNICTWO

Projekt okładki
Maciej Szajkowski

Opracowanie graficzne i techniczne
Jarosław Szumski

Wydanie I

ISBN 978-83-7785-133-3

Zysk i S-ka Wydawnictwo
ul. Wielka 10, 61-774 Poznań
tel. 61 853 27 51, 61 853 27 67
Dział handlowy, tel./faks 61 855 06 90
sklep@zysk.com.pl
www.zysk.com.pl

Dla Robberta

Rozdział 1

MARTA

Bawię się zapalniczką. Nawet nie wiem skąd ją mam. Chyba na ostatniej imprezie wzięłam ją od tego kolesia, z którym później zabawialiśmy się w jego mieszkaniu. Jest srebrna i chyba z Holandii. Ma napis PLAYERS, a pod nim FOOD & DRINKS. „Y" to szklanka do drinków. Do cosmopolitana chyba. Z czerwoną wisienką. Fajnie ten napis wygląda z tą szklanką. Z tyłu zapalniczki jest napisane „playersamsterdam.nl", pod nim „Kleine Gartmanplantsoen" i są jakieś cyfry. Chyba numer telefonu. Czyli to z jakiegoś klubu w Amsterdamie. Kompletnie nie wiem, co oznacza ten napis. „Kleine" to chyba „mały". Jest też latareczka. Jezu, te zapalniczki często mają jakiś gadżet. Ostatnio miałam nawet taką z długopisem. Długo zajęło mi rozkminianie, że to długopis. Myślałam, że to jakiś ćwiek do obrony czy coś w tym stylu. Ale ja głupia czasem jestem. Oglądam dokładnie zapalniczkę i dochodzę do wniosku, że jednak mam ją chyba od innego kolesia, z którym też się zresztą przespałam. Coś mi mówił, że był na weekend w Amsterdamie. *Whatever.* Sama już nie wiem. Zapalam ją i gaszę. Zapalam i znów gaszę. Aż wreszcie ta zabawa nudzi mi się i zapalam lufkę, którą pięć minut temu nabiłam jamajską marihuaną. Palę przy oknie, choć wiem, że to trochę bez sensu, bo jest przecież zamknięte.

Rozglądam się po pokoju hotelowym w poszukiwaniu laptopa. Pokój jest brzydki i bezosobowy. Stoi tu stary telewizor, który nie ma płaskiego ekranu i miliona cali. Łóżko jest wielkie i puste — zupełnie jak ten pokój. Zupełnie jak ja. Laptop jest tak mały, że spokojnie mógł się gdzieś tu zawieruszyć. I znając moje zdolności, jest ku temu szansa. Wreszcie zauważam białe tworzywo wystające spod równie białej kołdry. Kładę się do łóżka, gdzie zaciągam się jeszcze jednym buchem. Odkładam lufkę na szafkę nocną. Odpalam komputer i włączam RedTube'a. Mam zamiar masturbować się przy porządnym pornosie. Szukam czegoś naprawdę mocnego. Kategoria

— „Gang bang". Przerzucam strony w poszukiwaniu blondynki z czarnymi. Im więcej tych czarnych kutasów, tym lepiej. Im większe te kutasy — tym lepiej. Im bardziej czarne — tym lepiej. Znajduję blondynkę, którą rżnie ośmiu czarnuchów w białych skarpetkach. Blondynka ma cellulit i odrosty, mimo to po pięciu minutach filmu czuję, że jestem już mokra. Rękę wkładam do majtek. Palcem wskazującym zaczynam błądzić po łechtaczce. Pieszczę się. Jeden orgazm, drugi, trzeci…

Pół godziny później masturbacja mnie znudziła. Przerzucam się na YouTube'a i oglądam, jak zwykle, gdy jestem zjarana, teledyski Queen. *Show must go on* chyba z dziesięć razy powtarzam. Tak sobie w kółko puszczam. Czuję działanie marihuany. Czuję, jak mnie spowalnia. Dziwne myśli rodzą się w mojej głowie. Freddie Mercury to fajne ciacho. I szkoda, że zmarł na AIDS. No i że był gejem. Otwieram drugą kartę w wyszukiwarce i wchodzę w Wikipedię. Czytam biografię Freddie'go. Jest jednak tak długa, że już po pięciu minutach mi się nudzi… Chyba wszystko mnie dziś szybko nudzi. Przewijam stronę do końca, do interesującego mnie fragmentu — jego śmierci. Śmierć dzisiaj jest najważniejsza. Po nią przyjechałam do Wrocławia.

Próbuję sobie przypomnieć usta moich rodziców. I, za nic w świecie, nie jestem w stanie powiedzieć, czy mają wąskie czy pełne wargi? Po kimś, do cholery, musiałam odziedziczyć to maleństwo pod nosem, które aż śmiesznie nazwać wargą. Ja nie mam górnej wargi. Co jeszcze z defektów? Mogłabym być szczuplejsza tu i ówdzie. Uda, brzuch — najbardziej się ich brzydzę. Mogłabym też mieć inny nos. I ładniejsze włosy. Dłuższe. Z reszty raczej jestem zadowolona, ale tak bez rewelacji. Szału nie ma, żadna tam ze mnie piękność. Nad czym zresztą od zawsze ubolewam. Moi znajomi nie zaczynają opowiadać jakiejś historii o mnie od słów: „Marta, ta śliczna laska, która podoba się każdemu facetowi. Powinna być modelką, a nie pracować w PR". Nie, tak z pewnością o mnie nie mówią. Tutaj raczej byłaby taka zapowiedź: „No Marta, ta ruda i zwariowana. Zawsze po pijaku wali głupie dowcipy. Ale w sumie dość śmieszne. Nie powinna pracować w PR, ale w kabarecie. Ewentualnie robić w cyrku". I to jest smutne, bo doprawdy nie wiem w jakiej, kurwa, kolejce się ustawiłam przed zejściem na ziemię. Bo nie w kolejce po urodę. Po inteligencję w sumie też nie. I absolutnie nie po talent. Nie mam talentu w żadnej dziedzinie. Bo chyba nie można nazwać talentem doprowadzonego do perfekcji, sukcesywnego spieprzania wszystkich swoich związków, relacji z facetami, jak i ogólnie swojego życia. Na tym polu mam sporo imponujących osiągnięć. Bo niech pomyślę: za rok skończę trzydzieści lat. Nie mam oszczędności, jeśli nie liczyć odkładanej co roku kasy na wakacje. Zatem jeśli zwolnią mnie z pracy, to jestem w megaczarnej dupie. Żaden z moich związków nie trwał dłużej niż rok. A może osiem miesięcy? Każdy mój tydzień wygląda dokładnie tak samo. Pieprzony „dzień świra". Od poniedziałku do piątku totalny zapieprz w pracy. A w weekend picie, melanż i kupa kasy zostawiona w jakimś hipsterskim barze. A ja niemal zawsze piję do oporu, tak że często obsikuję sobie gacie w jakimś obleśnym kiblu, gdy próbuję się wylać „na Małysza". Nigdy w tych kiblach nie ma też papieru żeby się wytrzeć, więc pod koniec imprezy gacie tak mnie odparzają, że zaczynam trzeźwieć. Gacie cuchną i rano sztywnieją. Raz nawet latem obsikałam sobie buty, gdy sikałam w krzakach. Bo taka była kolejka do kibla!

Jeśli chodzi o znajomych, to mam ich pełno, ale nigdy nie rozmawiałam z tymi ludźmi na trzeźwo. Mam chyba z tysiąc znajomych na Facebooku, a mimo to pod koniec miesiąca nie ma nikogo, kto mógłby mi pożyczyć kasę. Teraz, jak tak sobie myślę o tym wszystkim, taka megaspalona w tym sterylnym, bezosobowym, pieprzonym pokoju hotelowym, to aż się cieszę, że postanowiłam się zabić. Moje życie jest niewiele warte. Pora się ogarnąć.

No, ale za chwilę myślę dlaczego postanowiłam się zabić? Czy tylko dlatego, że ten fiut zostawił mnie dla innej? Ale dlaczego? Jestem młoda, nawet nie mam trzydziestu lat. Jestem mądra. Mam fajną pracę. Duże cycki, kawał dupy. Niezupełnie brzydką mordę. Długie włosy. Faceci oglądają się za mną. A ten chuj się po prostu zakochał i zostawił mnie dla „miłości swojego życia", którą zna od niespełna miesiąca. Widział dupę może z pięć razy i kończy dla niej swój pięciomiesięczny związek. Przecież mieliśmy razem zamieszkać. Zestarzeć się. I mieć dzieci. Miały imiona. I ulubione maskotki. On im to wszystko zabrał! Zabrał pieprzone misie moim dzieciom! Więc może naprawdę się zakochał? Ja go kochałam. I dalej kocham. Chyba.

Dlatego postanowiłam się zabić. Ale... właśnie żeby mój trup nie gnił w domu nadżarty przez mole ani jego widok nie sprawił makabrycznej „niespodzianki" nikomu z rodziny i znajomych, postanowiłam się zabić w hotelu. Chciałam podciąć sobie żyły w wannie. A tu jest, kurwa, prysznic. I teraz myślę, że to nieco głupi pomysł. Z lekka poroniony. Bo przecież czemu winna jakaś dziewucha, która znajdzie mnie w dziwacznej pozycji, sztywną, zimną i zapewne niebieską. Widziałam już taką oto scenę.... Wśród obsługi hotelowej dostałabym ksywę „Smerfetka". Smerfetka z 629 — i nikt, kto zatrzyma się w tym pokoju, nigdy się nie dowie, że jakaś laska zabiła się w nim z rozpaczy. Że w ogóle ktoś się tu zabił...

Ale ja już właściwie nie rozpaczam. Tylko jest mi smutno. I jestem zjarana. I chyba się prześpię.

Budzę się i jest już ciemno. Nawet nie wiem, kiedy zasnęłam. Nawet nie wiem, która jest godzina. Może jest wcześnie rano? Albo noc? Zresztą mam to w dupie. Czuję, że jeszcze jestem zjarana. I głodna. Pościel lepi się od moich soków. Czuję lekkie obrzydzenie, sama nie wiem do czego. Chyba do siebie. Postanawiam się jednak nie zabijać. Przynajmniej nie dziś. Może jutro? A może nigdy? W sumie, czemu tutaj? W tym pieprzonym pięciogwiazdkowym hotelu znajdującym się naprzeciwko pieprzonej „Panoramy Racławickiej"? Nie, no! Skoro już przyjechałam do tego pieprzonego Wrocławia, to chociaż coś tu porobię. Coś zobaczę. Patrzę na zegarek. Powoli zbliża się dwudziesta pierwsza. Jest pieprzony weekend. Pora na melanż. Decyduję się pójść na miasto.

Biorę długi prysznic. Kabina jest ogromna. Pomieściłaby tych ośmiu czarnych z pornola. Znów robi się przyjemnie. Nabieram ochoty na kolejny seansik masturbacyjny. Odkręcam końcówkę od prysznica i zaspokajam się ciepłym strumieniem wody. Jest mi naprawdę dobrze i po raz pierwszy od bardzo, bardzo dawna, nie wiem czemu, czuję się głupio szczęśliwa. Tak naprawdę szczęśliwa. I głupia.

Odpalam telewizor i szukam jakiegoś kanału z wiadomościami. Nie wiem co się dzieje na świecie.

Szczerze powiedziawszy, to wisi mi polityka i globalne ocieplenie. Mam w dupie głodujące dzieci w Afryce. Mnie, też jest ciężko i zajebiście smutno, a nikt o tym nie mówi, nie trąbi w TV. Nawet w domu nie mam telewizora. Tylko by mnie ogłupiał. No, ale warto coś posłuchać, może czymś dziś zabłysnę na mieście. Czy słyszałeś o ostatniej tragedii w Peru? O trzęsieniu ziemi na Jamajce? Wtórnych wstrząsach Etny? Mogę tym zaimponować lub przynajmniej zacząć od tego konwersację. Leżę więc w swoim wielkim hotelowym łóżku, w śnieżnobiałym szlafroku, telewizor dudni, a ja zastanawiam się, co by tu zamówić do zjedzenia. Ceny — zabójcze. Za zwykłe śniadanie — kawa, francuskie rogaliki, dżem, nutella, sałatka owocowa i świeżo wyciskany sok — jedyne siedemdziesiąt złotych. Ceny z Marsa! Chyba ich porąbało. Podejmuję decyzję — jem na mieście.

Niestety, wyjazd w celu samobójstwa ma ten minus, że nie zabierasz ze sobą wyjściowej kiecki i szpilek. Trudno, dziś będą dżinsy, podkoszulek i conversy. Mogę zrobić za to mały *make-up*, bo na szczęście zabrałam ze sobą tusz do rzęs i puder. Pięć minut roboty i gotowe. Pora na miasto.

Najpierw jednak wpadam do Galerii Dominikańskiej — perfum, oczywiście, też nie wzięłam. Kilka psiknięć w Douglasie i już prawie czuję się jak człowiek. Jeszcze tylko muszę namierzyć jakiś kebab.

Albo nie. Zjem po imprezie. Będę walić na pusty żołądek — tak jest oszczędniej i chyba sensowniej, zwłaszcza że zanim odważę się sama podejść i zagadać jakichś facetów, będę potrzebować co najmniej trzech browarów, a tak może dwa wystarczą. To kupię tylko fajki po drodze. Za cel wyznaczam sobie „Bezsenność". Za starych dobrych studenckich czasów jeździło się po różnych miastach na imprezy. Pamiętam, że „Bezsenność" miała zajebisty klimat. Tego dzisiaj potrzebuję — bezsenności. Nie chcę spać. Chcę żyć, pić i tańczyć! Pytam kogoś, jak tam dojść. Mam kierować się na ulicę Ruską. To gdzieś koło kina „Helios", trzy minuty od rynku. Dochodzę tam bez problemu. Na Ruskiej pełno jest różnych klubów i knajp. Jeden klub stoi obok drugiego. Znajduję drzwi z napisem „Bezsenność", otwieram je i wchodzę schodami do góry. Pięć złotych wjazdu i zaczynamy zabawę. *Let's get this party started!*

Jest dwudziesta druga piętnaście, więc w klubie nie ma jeszcze takiego ścisku. Zacznie się pewnie za jakąś godzinę. Siadam przy barze, gdzie jest jeszcze kilka wolnych miejsc. Klub jest dokładnie taki, jak go zapamiętałam. Kilka pomieszczeń, z czego jedno dla palaczy. I pomyśleć, że dawniej można było palić wszędzie! Dwa bary przylegające tyłem do siebie. Można obejść je w kółko. *Cool*. Mały parkiet, ale to nikomu nie przeszkadza. W każdym lokalu ludzie tańczą na sobie. Teraz pytanie — co pić? Piwo oczywiście. Na początek. Nigdy nie schodzę z cięższych alkoholi na lżejsze. No chyba że naprawdę chcę się upić. Kurde, zawsze tak naprawdę zaczynam i kończę na piwie. A pomiędzy dzieją się złe rzeczy...

Jedno piwo, drugie i jest dwudziesta trzecia. Ludzi jest prawie dwa razy więcej, niż gdy przyszłam. Szukam celu. Zawsze trzeba sobie upatrzeć jakiś cel. Potem nawiązać kontakt wzrokowy. Kontakt wzrokowy to podstawa. Bez niego nie ma szans. Jak kontakt wzrokowy jest, to wtedy się uśmiecham. I zazwyczaj facet podchodzi i zagaja. Niestety wokół sami studenci. Nic się nie zmieniło, odkąd byłam tu parę lat temu. Jest też nieco obcokrajowców i garstka moich rówieśników. To trochę żałosne... Mam prawie trzydzieści lat. W tym świecie jestem już bardzo stara. Bardzo... Może jednak to samobójstwo to wcale nie taki zły pomysł?

Głupio tak siedzieć i pić w samotności. Nawet nie mogę tu zapalić, a szkoda mi tego miejsca. Nie chcę gdzieś później sama stać w kącie. Wolę siedzieć przy barze, choć bardzo chce mi się palić. Więc myślę. O głupotach. O samobójstwie. Myślę o tym, bo mam wrażenie, że już nic ciekawego mnie w życiu nie spotka. Że zgniję w swojej pracy, której powoli serdecznie nienawidzę. Że nie spotkam już żadnego wartościowego faceta. A jak spotkam, jeśli w ogóle jakiegokolwiek faceta jeszcze spotkam, to i tak szybko spierdolę ten związek przez swoje schizy i jazdy. Poza tym, zawsze mam największą ochotę zabić się po wakacjach. A teraz jestem po wakacjach. Tyrasz prawie cały rok, by tylko przez dwa pieprzone tygodnie odpoczywać gdzieś na plaży w tropikach z książką. To mi uświadamia, jakie moje życie jest bezwartościowe. Czekasz cały rok na te pieprzone dwa tygodnie. I tak ma być już przez całe życie? Nic, tylko się zabić. A z drugiej strony, nawet jeśli spotkam faceta, to kupimy mieszkanie na kredyt, który będziemy spłacać aż do cholernej śmierci, będziemy mieć dzieci, psa, głośnych sąsiadów... Takie życie też będzie bez sensu. Będzie już takie... zaprogramowane. Świadomość, że każdy dzień do końca życia będzie wyglądać tak samo, jest bardzo męcząca. I przygnębiająca. Teraz już na pewno muszę zapalić. I zabić się.

Opuszczam swoje stanowisko i idę do sali dla palących. Jest tu megaścisk. Czekam dziesięć minut w kolejce po trzecie piwo. Picie na pusty żołądek to był jednak dobry pomysł. Efekt jest w porządku. Jestem już trochę zrobiona. Muszę tylko się bardziej skoncentrować i namierzyć cel.

— Przepraszam, to chyba właśnie pani wypadło.

Odwracam się, bo ktoś mnie klepie po ramieniu. Nie wierzę! Przede mną stoi ten aktor z serialu „Dupa dupa". Czy jakoś tak. Podaje mi moją zapalniczkę.

— Dzięki. Nie zauważyłam, że mi wyleciała. — Odbieram zapalniczkę z jego ręki, która jest ciepła i nieco wilgotna, ale to nic dziwnego. Tu jest prawdziwa sauna!

— Może to jakaś ważna zapalniczka?

— Nie, to zwykła, nic nieznacząca zapalniczka.

— A tak w ogóle, jestem Piotrek.

— Cześć. Marta. — Czuję, jak automatycznie prostuje się mój kręgosłup i wypinają piersi. Czy mam udawać, że go nie znam, czy powiedzieć, że, oczywiście, kojarzę go z telewizji?

— Chyba jako jedyni w tym klubie nie mamy osiemnastu lat. — Uśmiecha się! Do mnie! O Boże!

— Wiem, byłam tu kiedyś za studenckich czasów. I nic się nie zmieniło. Poza moim wiekiem, oczywiście.

— Nie jesteś z Wrocławia?

— Nie, mieszkam w Warszawie.

— Ja też. Choć właściwie to pół na pół. Pół we Wrocławiu, a pół w Warszawie. W Warszawie to tylko z powodów zawodowych.

— No fakt. Chyba wszystko kręci się w Wawie? Seriale, filmy…

— Prawie, we Wrocławiu czasem też coś się zdarza. Rzadko, bo rzadko, ale zdarza się. — Znów się uśmiecha!

— Ten o tancerzach?

— Ten też między innymi. To co cię sprowadza do Wrocławia, Marto?

— Samobójstwo — odpalam bez zastanowienia. Idiotka!

— Samobójstwo?! — Wyraz jego twarzy zmienia się. No to miło było gadać z tobą, wariatko. Nara! Ale, kurwa, spaliłam!

— Yyy, sprowadzało. Nieważne.

— Jesteś tu ze znajomymi?

— Sama.

— Ja siedzę z chłopakami z planu, ale wszyscy są już tak na maksa zrobieni, że impreza chyba powoli będzie się tu dla nas kończyć.

— Okej, to na razie.

— Chyba że masz ochotę zmienić lokal. Zaintrygowałaś mnie tym samobójstwem. — Znów się uśmiecha.

— Cóż, taka już ze mnie intrygująca dziewczyna. *Sorry*, ale co może być w tym intrygującego?

— Bo ja też o tym czasem myślę. Nie na serio, ale czasem mam wszystkiego naprawdę dość.

— Dobra, teraz to ja jestem zaintrygowana. Czego może mieć dość taki facet, jak ty? — Nakręciłam się już mega. Albo on, albo nikt inny tej nocy!

— Od czego mam zacząć, hmm... — Od tego uśmiechu już kręci mi się w głowie. Chyba się zakochuję! — Wyobraź sobie, że masz taki miesiąc,

w którym budzisz się prawie codziennie w innym hotelu. Już nie wiesz, w jakim mieście jesteś, jaki jest
dzień tygodnia, ani nawet która godzina. Nie masz na
nic czasu. Nawet, za przeproszeniem, nie masz czasu
porządnie się wysrać. Wszyscy oczekują od ciebie
więcej, niż ci się wydaje, że jesteś w stanie z siebie
dać. Ale wchodzisz na plan i jakimś cudownym spo-
sobem zamieniasz się w kogoś innego i dajesz z siebie
sto dziesięć procent. To jest zajebiste, ale kosztuje cię
cholernie dużo energii. To cię powoli po prostu wy-
pala.

— Wszystko ma swoje minusy. Ale z tego, co
wiem, to masz teraz swoje pięć minut, tak? I chyba
wtedy trzeba z tego korzystać, no nie?

— Tak i nie. Wiesz, kiedy będę miał wolne w najbliższym czasie? W marcu, czyli mam jeszcze kilka
miesięcy totalnego „dnia świra". A już teraz mam
wrażenie, że jadę na rezerwie.

— Szczerze? I tak bym się z tobą z chęcią zamie-
niła... Dlatego przykro mi, ale nie jestem w stanie ci
współczuć. — Wypijam spory łyk piwa.

— Napijemy się czegoś? „Wściekłe psy"?

— Czemu nie?

Piotrek bez trudu dostaje shoty bez kolejki. Za-
mawia sześć „wściekłych psów". Czuję, że to będzie
piękna i długa noc. Wypijamy po jednym od razu.

Rozumiemy się bez słów. Patrzymy na siebie i od razu walimy na drugą nogę.

— Okej, to trochę nie *fair*, bo wiesz więcej o mnie niż ja o tobie. Gdzie pracujesz? — Wyciąga marlboro lighta, którego zapalam mu swoją zapalniczką.

— Pracuję w PR, czyli same nudy. Naprawdę nic ciekawego, o czym chciałabym mówić. Zresztą, nie ma o czym mówić.

— Zawsze chciałaś to robić?

— A ty zawsze chciałeś być aktorem?

— Tak.

Cholera, krępująca cisza... Myśl, myśl dziewczyno. Ratuj sytuację! Połechtaj jego ego!

— W sumie się nie dziwię. Masz wielki talent. Naprawdę.

— Dzięki. — I wracamy do gry! — No to kim chciałaś być, jak byłaś małą dziewczynką?

— Policjantką, projektantką mody i żoną milionera. No, ale skończyłam w PR. Więc to czyni mnie najgorszą dziwką, bo i klientom, i dziennikarzom muszę lizać dupę, a moja firma dyma mnie z każdej strony. Myślę więc o powrocie do opcji żony milionera.

— Popieram. — I dostałam najpiękniejszy uśmiech, bo wyrażający obietnicę czegoś więcej niż tylko rozmowy.

— Tylko muszę jakiegoś znaleźć. — Cokolwiek by było, śmieję się, choć to wcale nie do końca jest żart.

— Mogę ci coś powiedzieć? — Przysuwa się bliżej. — Zauważyłem cię już, jak siedziałaś przy tamtym barze. Wyglądałaś tak... tak smutno. Jakbyś potrzebowała rozmowy.

— Ach, więc to jest rozmowa z litości? — Uśmiecham się niepewnie.

— I tak, i nie. — Jego oczy są bardzo zalotne, a źrenice rozszerzone. Cholera, czasem lecą na mnie tacy faceci, o których bym nie śniła. — Na pewno gdybyś nie była tak atrakcyjna, to w ogóle nie zwróciłbym na ciebie uwagi.

O kurde! Jestem atrakcyjna dla Piotrka Pawelskiego! Piotrek Pawelski leci na mnie! A jeszcze kilka godzin temu chciałam się zabić! Czy życie może być w tej chwili piękniejsze?

— Dzięki. Ale masz rację. Potrzebowałam rozmowy.

— Zawsze do usług. — Ukłonił się teatralnie. — To co, pijemy jeszcze po „wściekłym" i zmieniamy lokal?

Nie musiał kończyć zdania, a już zawartość kieliszka spływała po moim przełyku.

— To gdzie teraz, przewodniku?

— Do mnie.

— Do ciebie? Szybki jesteś.

— Nie, nie zrozum mnie źle. Reszta ekipy też idzie. Wszystkie imprezy kończą się u mnie. Zresztą bardzo rzadko melanżuję na mieście... Kumasz, paparazzi albo jakieś małolaty robiące mi fotki na Pudelka czy inne tego typu gówno.

— Okej. A już miałam nadzieję! — Śmieję się głośno. Czy wzięłam jakby co prezerwatywy? Tak! Mam jedną paczkę dureksów w torebce z poprzedniego piątku. Nie wykorzystałam, bo facet miał swoje gumki.

Bierzemy taksówkę, choć od klubu do Piotrka na piechotę jest jakieś dziesięć minut. Mieszka bardzo blisko centrum, koło fosy, między Dworcem Głównym PKP a Galerią Dominikańską. W taksówce jedzie z nami kierownik planu serialu, przy którym Piotrek teraz pracuje. I jakaś młoda, ładna aktorka, której nie kojarzę. Chyba jest dopiero po studiach. Reszta ekipy była już tak nawalona, że zdecydowali się wracać do domów.

Wygrzebujemy się z taksówki. Aktorka — Ania — jest już megazrobiona. Ledwo stoi na nogach. Bełkocze, że musi szybko do toalety. Piotrek mieszka na trzecim piętrze i ma fajne mieszkanie. Małe, ale przestronne. Wszystko urządzone jest bardzo nowocześnie i minimalistycznie. Wchodzimy do przedpokoju wyłożonego czarno-białą kostką, po prawej stronie jest łazienka, po lewej lustra. Z tą szachownicą na

podłodze lustra dają niesamowity efekt. Ania wyprze-
dza mnie i szybko wchodzi do łazienki. Piotrek z tym
drugim — Marcinem, tylko się śmieją. Z przedpokoju
wchodzi się do kuchni połączonej z salonem. Nad
salonem jest antresola, a na niej tylko wielki mate-
rac, chyba trzy na trzy metry. Oczywiście Piotrek mnie
oprowadza. W salonie stoją dwie kanapy, dwa fotele
i stolik. W rogu stoją dwie wielkie szafy. I to wszystko.
Żadnych półek z książkami, żadnych CD czy DVD.
Kuchnia jest nowoczesna i bardzo sterylna. Jedynie
na lodówce jest pełno zdjęć kobiet — nagich albo to-
pless. Dostrzegam tu zdjęcie rzygającej teraz w kiblu
Ani. Ania w dwuznacznej pozie siedzi w prześwitu-
jącej bieliźnie. Dziwne jest to wszystko. Jedyny ślad
kultury, jaki tu dostrzegam, to plakat z filmu Jima Jarmuscha *Inaczej niż w raju*. Widziałam kiedyś ten film.
Pora zabłysnąć wiedzą filmową.

— Też lubię *Inaczej niż w raju*.

— Słucham? — Piotrek ma bardzo zdziwioną
minę.

— *Inaczej niż w raju*. No, film Jima Jarmuscha.

— Co? — Dalej wygląda, jakby nie wiedział, o co
mi chodzi. Pokazuję mu więc plakat.

— To plakat z tego filmu.

— Aha. Nie wiem, nie widziałem. Został po po-
przednich lokatorach, mieszkam tu od niedawna. —
Otwiera lodówkę. — To czego państwo chcą się napić?

W środku lodówki same alkohole. I na najwyższej półce imitacja Oscara. Lekko to chore. Czytam napis: „Najlepszy wujek na świecie". Okej, już myślałam, że trzyma imitację statuetki cholera wie po co.

— Najlepszy wujek na świecie? — pytam zalotnie. — Whisky z colą może być. Masz colę light?

— Nie, proszę pani, tylko normalna coca-cola. A tego tu pana dostałem od mojej chrześnicy. Fajny, nie?

— Oryginalne miejsce na wystawkę. Czemu go trzymasz w lodówce?

— Fajnie tu wygląda. — Uśmiecha się tak pięknie, że miękną mi kolana i robię się troszkę mokra. — Marcin, a ty co pijesz?

— Może być whisky z colą. Albo wóda. Wszystko mi jedno, stary. Lej, co tam masz.

— A ty, księżniczko? Żyjesz tam w łazience? — Boże, chyba w życiu nie słyszałam tak głośnych tonów. Ma się te płuca. Kurde...

Ania wyszła z łazienki. Nieco rozmazał się jej tusz i potargały włosy, ale i tak dalej wyglądała pięknie. Nie rozumiem. W porównaniu z tą dziewczyną wyglądam jak kopciuszek. Po co, mogąc mieć taką kobietę (a zapewne kiedyś ją miał, biorąc pod uwagę zdjęcie na lodówce), zagaja mnie w klubie? Dlaczego?

— Będzie bez lodu. — Piotrek podaje mi szklankę. Marcin w salonie wybucha śmiechem.

— Przeżyję. — Biorę szklankę i wypijam spory łyk. — Można tu palić?

— Jasne! Palisz coś więcej?

— Zdarza się. Mam nawet zajebistą jamajską marysię. Chcesz?

— Uuu, widzę, że mamy tu godnego siebie zawodnika. Słyszysz, Marcin? Koleżanka ma towar z Jamajki.

— To palimy! — Marcin wchodzi do kuchni.

— Ja też chcę whisky! — Ania wreszcie się odzywa.

— Kotku, tobie chyba już wystarczy.

— Nie, daj mi whisky! — krzyczy.

— Okej, nie będę się z tobą kłócił. Wiesz lepiej, tylko nie zarzygaj mi balkonu jak ostatnio, zrozumiano?

— Jezu, Piotrek! Wyluzuj, nie bądź taki spięty! — Ania ledwo może utrzymać równowagę, bo tak się chwieje.

Piotrek nalewa jej whisky. Bez coli. Ania wypija zawartość szklanki jednym haustem. Beka. Nikt nawet tego nie zauważa. Marcin stoi i pali fajkę. Jego wzrok nie wyraża nic. Absolutnie nic. Jest absolutnie pusty. Nieobecny. Gasi fajkę i idzie do łazienki. Ania chwiejnym krokiem idzie do salonu i kładzie się na kanapie.

— Przepraszam. Ona nie ma hamulców. Zawsze gdy zaczyna pić, musi się urżnąć do nieprzytomności.

Ale na trzeźwo to zajebista dziewczyna. — Piotrek stuka się swoją szklanką z moją. — Za spotkanie! Oby nie ostatnie!

Ja pierdolę! Czy ja się przesłyszałam? Chce się znowu ze mną spotkać?! Nie wierzę!

— To co, zapalimy twoją jamajską marihuanę czy wolisz mój jamajski haszyk?

— Jestem tradycjonalistką. Wolę starą dobrą marysię. — Podaję Piotrkowi zawiniątko. — Kiedyś w jakimś wywiadzie z tobą przeczytałam, że masz dom na Jamajce. To prawda?

— I tak, i nie. Już miałem go kupować, ale okazuje się, że tam jest większa biurokracja niż w Polsce. Były z tym same problemy, więc zrezygnowałem. Ale kocham Jamajkę.

— Nigdy tam nie byłam, ale jaram jamajski *stuff*, to prawie jakbym tam była, nie? — Śmiejemy się oboje. Kocham go.

— Powinnaś tam pojechać. Niezwykłe miejsce. Cisza, spokój, dobre zioło, plaża, woda, ciepło i piękne kobiety. Bardzo otwarte, jeśli wiesz, o co mi chodzi. — Puszcza do mnie oczko.

— Domyślam się. — Czuję lekkie zagrożenie. Jak mogę być tak szybko zazdrosna o jakieś jamajskie dziwki?!

— Na starość na pewno tam zamieszkam. I całe dnie będę tylko palił marysię i czytał. Przeczytam całą klasykę. Dostojewskiego. Manna. Nawet, kurwa, pieprzonego Mickiewicza. Przeczytam wszystko.

— Ambitnie.

Naszą rozmowę przerywa obrzydliwy odgłos z salonu. Słyszymy, jak Ania właśnie rzyga. Piotrek leci do niej biegiem. Ja za nim. Klnie. Ania leży na kanapie bokiem i zwraca na podłogę. Z kącika ust wyciekają jej wymiociny. Wygląda to obrzydliwie. Jej ciałem targają torsje. Jest już całkiem rozmazana i nie wygląda już tak pięknie. Szczerze powiedziawszy, to nawet kijem bym jej nie dotknęła, jakbym była facetem.

— Anka! Kurwa! Znowu mi zarzygałaś podłogę!

— *Sorry,* Piotrek. — Ania już tylko bełkocze, ledwo ją mogę zrozumieć. — Wiesz, kocham cię. Wiesz to, kochany, wiesz?

— Wiem, laleczko, ale nie możesz za każdym razem robić mi Sajgonu na chacie. Po prostu naucz się hamować.

Anią znów targają torsje. Piotrek łapie ją pod ręce i zanosi do łazienki. Mija się z Marcinem, który się tylko śmieje. Marcin siada w kuchni i robi skręta. Idę tam. Nie będę tu sama, kurwa, siedzieć. Jakaś patologia. Ja jebię.

— Ona tak zawsze? — Siadam obok Marcina.

— Kto, Anka? Zawsze. — Śmieje się ironicznie. — Ale dobrze loda robi, to ją Piotrek trzyma w pobliżu.

Choć dzisiaj nic już z tego nie będzie, bo raczej nie da rady połykać. Więc to twój szczęśliwy dzień, mała.

— Słucham? — Dawka oburzenia w moim głosie jest większa niż bym chciała.

— Żartuję, nie obrażaj się. To takie filmowe poczucie humoru. Chcesz skręta? — Odpala i po jednym głębokim machu podaje mi go.

Zaciągam się. Mocno. Chcę się wyluzować, bo jestem lekko spięta przy tym dupku. Nie wiem dlaczego ten Marcin jest takim palantem. Nie bawią mnie jego żarty. Ani ten ironiczny i pretensjonalny ton. Ani ten wzrok mówiący: „Jestem lepszy od ciebie, nie masz u mnie szans". Palimy i siedzimy w milczeniu. Jakieś pięć minut później Piotrek wraca z łazienki. Nie wiem co on robił tam z tą Anką. Może faktycznie mu loda robiła? Może ją przeleciał? A może tylko trzymał jej włosy, jak rzygała? Nie wiem, ale wiem, że jestem zazdrosna. Zazdrosna o faceta, którego znam zaledwie dwie godziny.

— Okej, Marcin. Anka zaliczyła zgon. Zadzwonię po taksówkę. Możesz pojechać z nią i doprowadzić ją do domu? A najlepiej do łóżka? Ja zapłacę.

— Luz, stary, nie ma problemu.

— Kurwa, znowu ten sam numer. Mogłaby wreszcie, kurwa, przystopować z piciem. Mam już dosyć, kurwa, patrzenia na to, jak rzyga. — Piotrek jest naprawdę zirytowany.

— Jutro rano i tak nic nie będzie pamiętać i znowu będzie myślała, że ją wkręcamy. Znasz Ankę. Ona nigdy się nie zmieni.

— Zmieni, nie zmieni. Ale, kurwa, ostatni raz zarzygała mi chałupę! Dobra, dzwonię po taksówkę.

Piotrek bierze od nas bucha. Dzwoni po transport i patrzy się na mnie. Uśmiecha się tak ładnie. Jego twarz łagodnieje. Puszcza mi oczko. Chcę mu się oddać. Nie zapomnę tej nocy do końca życia. Czuję to. Chcę żyć. Bo życie pisze zwariowane scenariusze. I nawet, gdy już myślisz, że nic dobrego cię już więcej nie spotka, to Bóg zsyła na twoją drogę sławnego aktora. Który leci na ciebie. To jak pieprzona bajka. Z dosłownym happy endem, który nastąpi wkrótce.

— Taksówka będzie za pięć minut. — Piotrek odkłada telefon.

— Dobra, to pomóż mi znieść księżniczkę na dół. Poczekamy na taksę na świeżym powietrzu. Dobrze jej to zrobi.

— Okej, wytargajmy ją z łazienki.

Piotrek z Marcinem wyszli z kuchni. Słyszę za chwilę jakieś bełkotanie Anki. Nawet nie chcę na to patrzeć. To musi wyglądać żałośnie — dwóch facetów wynoszących zalaną w trupa laskę. Czemu kobiety doprowadzają się do takiego stanu? Myślę jak często ja byłam w takim stanie? I z ulgą dochodzę do wniosku, że tylko raz — gdy jako gówniara po raz pierwszy miałam zakrapianego sylwestra. Najebałam się jak świnia. Urwał mi się film i wybiłam sobie trzy palce. Matka ściągała mi dżinsy i przyniosła miskę. Na drugi dzień pojechała ze mną na pogotowie. Straszny wstyd. Nic nie pamiętałam, matka opowiadała mi, że się z nią szarpałam i latałam po domu nago. Boże, do dziś modlę się, żeby to nie była prawda... Że mnie tylko tak wkręcała. Oczywiście, teraz zdarza mi się porządnie najebać, ale nigdy nie urywa mi się całkiem film. Czasem mam tylko dziury w pamięci.

Słyszę odgłos zamykanych drzwi. Zostałam sama w mieszkaniu Piotrka. Ale wróci tu za chwilę i będziemy już tylko we dwoje. A co, jeśli on nie wykonana żadnego ruchu? Sama mam jakoś spróbować? Boże, muszę zrobić sobie kolejnego drinka. To doda mi odwagi. Wyciągam z lodówki whisky i piję z butelki. Biorę naprawdę porządnego łyka. Dobra, czuję się już bardziej wyluzowana. Idę do salonu, ale szybko stamtąd wracam, zbyt jebie tam rzygami. Idę do łazienki. Tam też megaSajgon i straszny smród. Oczyszczam deskę papierem toaletowym, pełno na niej włosów i powoli zasychających rzygów. Spuszczam wodę z całym tym gównem i siadam na desce dopiero, gdy jest czysta. Sikam mocnym strumieniem, bo nie robiłam tego od dwóch godzin, a wypiłam już trochę piw i drinów. Puszczam też bąka. Jest megagłośny. Dobrze, że Piotrka nie ma teraz w mieszkaniu, bo na pewno by usłyszał. Podcieram się i patrzę, co tam jest na papierze toaletowym. Jest okej, żadnych upławów, żadnych wcześniejszych miesiączek. Wrzucam go do muszli i spuszczam wodę. Rozglądam się po łazience. Piotrek ma wielki prysznic, w którym spokojnie mogłyby się zabawić trzy, a nawet cztery osoby. A może trzy, a nawet cztery parki. Cholera wie. Ale, co dziwniejsze, na prysznicu znajduje się maska z filmu *Iron Man*, tym z Robertem Downeyem Jr. Tak mi się wydaje, że to z tego filmu. Ogolić się muszę! Mam taki delikatny zarost, a jak coś ma być z Piotrkiem, to muszę się ogolić! Rozglądam się po łazience w poszukiwaniu maszynki do golenia. Bingo! Są trzy machy! *Fuck!* Kiedy on wróci? Za pięć minut? Dziesięć? Dobra, szybko ściągam spodnie i majtki. Wchodzę pod prysznic i najszybciej jak mogę golę cipkę. W tym pośpiechu zacinam się trzy razy, z czego jeden dość mocno. Pieprzę nogi. Nie golę ich. Nie ma na to czasu. Nie ma takiej tragedii, a jak znów się zatnę, to będzie dopiero Meksyk. Przykładam trochę papieru toaletowego w miejsca zacięć, szybko zakładam gacie i spodnie. Słyszę właśnie, że Piotrek wrócił. Zapytam go o maskę. Czemu ją trzyma w łazience. *Fuck*, mam nadzieję, że krew mi nie poplami spodni. Nie chcę, aby myślał, że mam okres. Wychodzę z łazienki i idę do kuchni, gdzie Piotrek robi sobie właśnie drinka.

— Ania żyje? — pytam, choć mam to w dupie.

— Tak. Przepraszam cię za tę całą akcję z nią. Po prostu ta dziewczyna nie może pić. Ma chyba z tym jakieś problemy. — Piotrek upija się whisky z colą.

— To co za problem, żeby przestała?

Piotrek się tylko uśmiecha. Stoimy chwilę w ciszy. On tak ładnie się na mnie patrzy. Chyba mu się podobam.

— Wiesz, gdybym nie był aktorem, byłbym fotografem. U nas to zawód z pokolenia na pokolenie. Mój dziadek miał zakład fotograficzny, potem przejął go mój ojciec. Moja siostra też się zajmuje fotografią zawodowo. Robi fotosy na planie.

— Często pracujecie razem? — Pieprzony nepotyzm. Jak ja tego nie lubię!

— Zdarza się. Ostatnio nawet pracowaliśmy razem przy jednym serialu.

— Fajnie. A ten zakład twojego dziadka to taki, gdzie robi się zdjęcia do paszportu czy dowodu?

— Też. Ale nie tylko. Śluby i inne takie tam pierdoły też.

— Fajnie. Ja w swojej rodzinie nie mam żadnych tradycji. Jeśli nie liczyć dziadka, który pracował w tartaku, i ojca, który jest leśniczym.

— Super. Twój ojciec jest leśniczym? I mieszkałaś w leśniczówce?

— Tak, całe życie.

— Ekstra. Nigdy nie byłem w żadnej leśniczówce.

— Nic specjalnego, dom jak dom.

— A właśnie, wspomniałem ci o tym fotografowaniu, bo ja też ostatnio się tym trochę zacząłem interesować. I nawet jedno wydawnictwo chce wydać album z moimi fotografiami.

— *Wow*, a co fotografujesz?

— Ludzi. Tylko ludzie mnie interesują. Zresztą, pokażę ci.

Wziął laptopa, który leżał na krześle, i go włączył. Usiedliśmy przy stole. Usiadłam obok niego tak blisko, że niemal czułam jego oddech na swoim policzku. Na pulpicie ukazała się całkiem naga kobieta. Stała pod prysznicem Piotrka. Miała piękne, duże piersi i megabobra. A na sobie miała tylko... maskę Iron Mana. Tę samą, którą widziałam przed chwilą... Odpalił katalog „Akty". Moim oczom ukazały się różne kobiety o różnych figurach. Wszystkie nagie, wszystkie piękne, młode i wszystkie w tej pieprzonej masce Iron Mana pod prysznicem. Co to, kurwa, ma być?

— I jak ci się podoba? — Piotrek nawet nie krył podniecenia. Pieprzony narcyz, widać, że krytyki taki nie przyjmuje.

— Niezwykłe. Naprawdę. Ale jaki jest przekaz?

— Nie kumasz? Chodzi o dziewictwo. *Iron Man* — na pewno kojarzy ci się ze słowem „żelazny", prawda?

— No, też. Ale bardziej z Robertem Downeyem Jr.

— No dobra, ale z czym ci się jeszcze kojarzy słowo „żelazny"?

Sklep.

— Oczywiście dziewica. Żelazna dziewica.

— No właśnie! Mądra jesteś! Kurde no! Żelazna dziewica, a na moich fotografiach ona jest całkiem obnażona. Ona, czyli kobieta. Wiesz, już nie jest żelazną dziewicą, choć dalej się maskuje. Próbuje to ukryć, bo naprawdę jest dziwką, a nie pieprzoną żelazną dziewicą. Kumasz, prawda? Jest dziwką, ale udającą żelazną dziewicę. To Iron Woman.

Ten koleś za dużo pali. Zdecydowanie. Zryty baniak.

— Genialne. Naprawdę genialne. Jak na to wpadłeś?

— Zobaczyłem tę maskę w jakimś sklepie i pomyślałem, że jest fajna. A potem jakaś laska ją założyła i zacząłem robić zdjęcia.

Jakaś laska. Hmm... Fotografuje tak wszystkie dupy, które rucha?

— I jaki będzie tytuł albumu?

— *Żelazna dziewica obnażona.* W wydawnictwie mówili, że to zajebisty tytuł. Zajebisty pomysł.

— Też tak sądzę. — Naprawdę zaczynało mnie to bawić.

— Chcesz zapozować?

— Ja? No co ty?! Nie mam tak pięknego ciała jak te wszystkie kobiety.

— Wszystkie kobiety są piękne. I wszystkie mają piękne ciała. I daj spokój. Masz zajebistą figurę.

— Dzięki. — Jest w jego oku ten błysk pożądania. W sumie, czemu miałabym nie zapozować? Przecież twarz będzie ukryta pod maską. Jak opowiem o tym laskom z pracy, to padną. Nie uwierzą, normalnie. I, kupię ten album. I, kurwa, pokażę go swoim wnukom kiedyś. I, kurwa, prawnukom.

— Nie wiem... nigdy nie pozowałam nago.

— Zawsze musi być ten pierwszy raz. Na pewno będziesz doskonała. Już widzę, że jesteś bardzo fotogeniczna i obiektyw cię pokocha.

— Okej, ale obiecaj, że jak zdjęcie mi się nie spodoba, to nie zamieścisz go w albumie.

— Masz moje słowo. Potrzebujesz się jakoś przygotować?

— Nie.

Boże, nawet siebie nie poznaję. Sekundę później ściągam buty i rozpinam spodnie. Zjeżdżają swobodnie z mojego tyłka. Górą zrzucam z siebie podkoszulek. Stoję przed nim w samej bieliźnie. Niesparowanej. W pieprzonych różowych gaciach i czarnym staniku w kwiatki. I te gacie to nie są nawet stringi. *Fuck*, zapomniałam o jebanym papierze toaletowym! A jak mam poplamione krwią gacie?! Wstyd mi, ale kto mógłby się spodziewać, że właśnie dzisiaj będę pozować dla megaznanego aktora?! Zalotnie rozpinam stanik, ściągam go i idę powoli w stronę łazienki. Wchodzę do niej. Tam szybko wyciągam papier z gaci i wrzucam do kibla. Mam nadzieję, że nie zauważył tego jebanego papieru! Po chuj się goliłam! *Fuck!* Majtki mam, na szczęście, bez plam. Jest dobrze. Bez paniki. Nie ma tragedii. Na pewno tego nie widział. Ściągam majtki i szybko przemywam zaschniętą krew na cipce. Słyszę, jak Piotrek krzyczy, że tylko weźmie aparat. Cipkę mam ogoloną na zero. Żadnych paseczków czy inne chuje muje — dzikie paseczki albo pierdolone szlaczki. Jestem na to za leniwa. Nie lubię pieprzenia się z maszynką. Choć, akurat dzisiaj musiałam się zaciąć. Wchodzę pod prysznic i włączam wodę. Jest mi chłodno i czuję, jak twardnieją mi sutki. Podkręcam, żeby była trochę cieplejsza. Piotrek wchodzi z aparatem do łazienki. Widzę, jak świecą mu się oczy na mój widok.

— Jesteś idealna. Możesz założyć maskę?

Posłusznie zakładam. Nic nie widzę. Mam zakryte oczy. Ogarnęła mnie całkowita ciemność i czuję, jak narasta we mnie pożądanie. Czuję, że robię się mokra między udami. Czuję, jak puchnie moja cipka. Mam nadzieję, że ten soczek nie zacznie spływać po moich udach.

— Dobrze, przyjmij jakąś pozę. Bądź swobodna.

Klik, klik. Słyszę, jak miga obiektyw, przesłona…

— Super! Ślicznie. A teraz jakaś seksowna poza! Dobrze, rozchyl nogi!

Klik. Klik.

— A możesz się do mnie wypiąć tyłem i odwrócić głowę? O tak, tak! Zostań tak! Doskonale! Doskonale! Masz naturalny talent. Bosko, nie ruszaj się, kochanie.

Klik, klik i nagle cisza. Kilka sekund później czuję, że Piotrek jest tuż obok. Robię się jeszcze bardziej mokra.

— Rozchyl jeszcze bardziej uda. Jeszcze bardziej.

Posłusznie rozchylam. Nagle czuję jego rękę przesuwającą się od mojego kolana do góry po wewnętrznej stronie uda. Czuję, jak zaraz tryśnie ze mnie fontanna. Gdy jego ręka była w połowie drogi puściłam soki. Czuję, jak ciepła ciecz ścieka po mojej nodze. Czuję, że jego ręka napotkała moje soki. Czuję, jak bierze rękę z powrotem. Mlaska. Pewnie włożył ją sobie do buzi i teraz delektuje się moimi sokami. Wkłada mi za chwilę palce do cipki. Ściągam maskę i widzę, że Piotrek już jest nagi i ma wzwód. Penis standardowej wielkości. Grubość i długość standardowa.

— Mogę?

— Tak — szepczę. Boże, nigdy w życiu nikogo tak nie pragnęłam jak tego pieprzonego aktora w tej chwili.

Wchodzi we mnie gwałtownie. Cholera. Nie ma prezerwatywy. Ale, szczerze mówiąc, mam to w dupie. Nie chcę przerywać tej doskonałej chwili. Zresztą, to nie jest pierwszy raz jak uprawiam seks bez gumy z obcym facetem. No, nie robię tego też za często, ale z drugiej strony, czy Piotrek jest dla mnie naprawdę obcy? Przecież znam go z telewizji. Czytałam z nim wywiady. Jest sławny. Jest boski. Boże, czemu ja myślę o tym w tej chwili? Odwraca mnie i wchodzi od tyłu. Jego ręka nerwowo szuka mojej łechtaczki i gwałtownie pociera. Nie jest zbyt dobry w te klocki. Jego ruchy są nerwowe i nachalne. Zero w tym subtelności. Po prostu rżnie jak faceci na pornolach. Szybko i gwałtownie. Jak tak dalej pójdzie, to mnie zatrze. Cholera, no zaraz się zrobię normalnie sucha! Wolniej, koleś! Delikatniej! Krzyczę w duchu, a na głos pomrukuję namiętnie… Mija jeszcze minuta takiego ostrego rżnięcia i czuję, jak się we mnie spuszcza. Mógłby chociaż zapytać, czy może skończyć w środku!

— Dobrze ci było? — dyszy mi do ucha.

Bywało lepiej.

— Cudownie — szepczę mu również do ucha i całuję w szyję. Zdaję sobie sprawę, że właśnie bzykałam się z gościem, z którym się nawet jeszcze nie całowałam. Pora naprawić ten błąd.

Szukam swoimi ustami jego ust. Zaczynamy się całować. Całuje jeszcze bardziej chujowo niż rżnie.

Język wpycha mi do samego gardła. I macha tym językiem jak łopatą. Chyba chłopak za dużo w młodości naoglądał się pornosów, bo ma jakieś megawypaczone rozumienie namiętności. Całujemy się tak z minutę, kiedy on nagle gwałtownie mnie odpycha.

— Jezu, na śmierć zapomniałem!

— Co, co się stało?

— Jutro, kurwa, z samego rana mam zdjęcia, a jeszcze nie nauczyłem się tekstu!

— Aha… Mogę ci jakoś pomóc? Poczytać z tobą dialogi? Tak to się chyba robi, nie?

— Nie. Nie. Ja potrzebuję całkowitej ciszy i spokoju. Muszę się skupić. Wiesz. W tym stanie to totalnie trudne. Muszę mieć całkowitą ciszę. I spokój.

— Okej, czyli co, kurwa, mam już sobie iść? Tak?!

— No, potrzebuję spokoju. Jestem megaśpiący, a jeszcze, kurwa, muszę nauczyć się dwóch stron tekstu. Nie będziesz miała nic przeciwko, jak zadzwonię ci po taksówkę?

— Nie, jasne, rozumiem… Spoko.

Co za palant! No, oczywiście, że chodziło mu tylko o seks. Skurwiel. Ale ja jestem głupia. I naiwna.

— Zostaw mi swój numer i e-mail, to prześlę ci zdjęcia. Daj znać, czy ci się podobają. I które ci się podobają.

— Ok. — Ty chuju. Gnij. — Zaraz ci zapiszę.

Wychodzi z kabiny i się wyciera. Już nawet w ogóle na mnie nie patrzy.

— Ile czasu potrzebujesz? Piętnaście minut ci wystarczy?

— Ok. — Czuję, jak łzy napływają mi do oczu. Ale czego ja, cholera, mogłam się spodziewać?

— To zamówię taksówkę za piętnaście minut.

Wychodzi z łazienki, zostawiając mi ręcznik. Czuję, jak jego sperma wycieka z mojej cipki. Łzy same spływają mi po policzku. Szybko zmywam jego zapach i jego spermę ze swojego ciała i wychodzę z kabiny. Związuję włosy, nawet nie mam siły ich suszyć. Szybko się ubieram. Patrzę w lusterko i widzę, że makijaż mi się rozmazał. Nie szkodzi. Nic nie szkodzi. Mam znów ochotę umrzeć. Wchodzę do kuchni. Piotrek w samych gaciach pali skręta.

— Możesz zostawić mi zapalniczkę? Swoją gdzieś posiałem, a nie mam już żadnego ognia na chacie. Ostatnią zapałką odpaliłem skręta.

— Spoko, nie ma sprawy. — Wypchaj się nią, chuju. Nienawidzę go w tej chwili.

— Taksówkę już masz zamówioną.

— Dzięki. To gdzie mam ci zapisać swój numer i e-mail? — pytam z lekką nadzieją w głosie.

— Wiesz co, podaj mi go po prostu, zapiszę sobie w komórce. — Bierze ze stołu telefon, ale nie wydaje mi się, żeby coś w nim zapisywał.

— To puść mi strzałkę. — W swoim głosie słyszę już desperację. Znów zbiera mi się na płacz.

— Co puścić?

— Strzałkę. A zresztą nieważne. Jak zadzwonisz to okej, jak nie, to dzięki za fajny wieczór. Miło było cię poznać.

Musiałam stąd uciec jak najszybciej. Uciec jak najdalej od tego palanta!

Rozdział 2

PIOTREK

Jak miło, że sama odprowadziła się do drzwi. Co za ulga. Coraz trudniej w tych czasach wyrwać fajną dupę na mieście. Zostały same małolaty albo sfrustrowane trzydziestki mające nieźle nasrane w baniakach i cellulit. Puszcza się taka po dwóch godzinach znajomości i po wszystkim chce jakichś uczuć, chce, kurwa, zostać na noc. Spierdalaj! Jak mam cię szanować, skoro jesteś zdzirą i dajesz dupy szybciej, niż rozbijał się tupolew?! Naprawdę nie kumam bab. Są megarąbnięte. Jestem zmęczony. Idę spać. To była intensywna noc.

Cholera. Chyba za dużo wypaliłem, bo jednak nie mogę zasnąć. Mam jakieś schizy, czuję, jakby coś przenikało mi do mózgu, podgrzewało mi krew. Jakieś toksyny opanowują mój system nerwowy. Muszę myśleć o czymś abstrakcyjnym, to mi zawsze pomaga zasnąć. Coś megaabstrakcyjnego, coś megaabstrakcyjnego. Kurwa, kutas mnie coś swędzi. Mam nadzieję, że ta dziwka niczym mnie nie zaraziła. Co mnie, kurwa, napadło, żeby zarywać taki pasztet? Chyba naprawdę byłem w tej „Bezsenności" nieźle napruty. Bezsenność... Bezsenność... O wiem! Megaabstrakcyjne są takie obrazy czy zdjęcia w „Bezsenności". Chyba w tej sali dla palących. Na jednym jest taka klimatyczna ręka i z palców wystają takie druty do szydełkowania czy tam dziergania, i ona chyba, to znaczy ta ręka, tak z wody wystaje, jest taka megaschizująca. A drugi obrazek jest z taką drabiną, jak z tego filmu, no... *Oko*? Nie, to był ten, no, no, *Ring*! No to był *Ring*! Schizujący film i megaschizujące obrazki. Coś tam jeszcze było, ale już nie pamiętam co. To taki surrealizm. Taki Salvador Dali. Brakowało żyrafy, tej płonącej. I mogłyby być też tam te dziwne zegary. Tak, zegary by tam pasowały. Stary sprawdzony sposób zaczyna działać. Robię się wreszcie senny. Wyobrażam sobie, jak wchodzę na tę drabinę, a ręka z drutami do dziergania wyłania się z wody i próbuje wbić mi te druty w oko. A może to były jednak szydełka? Słyszę, jak za oknem zaczyna padać. Oby ta kurwa zmokła. Na pewno zaraziła mnie jakimś syfem. Ciągle swędzi mnie kutas. Może jak jeszcze trochę zajaram, to szybciej pójdę spać? Jutro mam pociąg do Warszawy o jedenastej, a jest już, kurwa, czwarta rano. Przewracam się na drugi bok i między uda wkładam poduszkę. Kutas dzięki temu swędzi mnie mniej. Więc jestem na tej drabinie i atakuje mnie ręka z drutami wyłaniająca się z wody…

Budzik dzwoni punktualnie o dziewiątej. Ja pierdolę, jestem nieprzytomny. Pierdolę to. Choć raz w życiu mogę sobie odpuścić! Kurwa, telefon. Halina — moja menadżerka. Jakżeby inaczej.

— Wstałeś?

— Nie! Pierdolę! Raz w życiu mogę opuścić jakieś jedno pieprzone spotkanie.

— Piotrek… Zawsze tak mówisz.

— No i chuj z tego! Wiesz kiedy ostatni raz miałem wolne? — Gdzie są, kurwa, moje papierosy?!

— Znów będziemy przeprowadzać taką samą rozmowę jak wczoraj i przedwczoraj?

— Nie, Halinko, ja po prostu chcę, kurwa, choć raz się porządnie wyspać. Czy to tak wiele?

— Ile razy to przerabialiśmy, hmm? Co ty masz pięć lat? Nie jestem twoją matką i nie zmuszę cię, byś wsiadł dziś w ten pieprzony pociąg. Ale jeśli dalej chcesz sobie prowadzić takie życie, jakie prowadzisz teraz, to radzę ci, kurwa, w niego wsiąść!

— Halinko, nie denerwuj się. Po prostu dopiero wstałem. Ogarnę się i pójdę na dworzec. Daleko w końcu nie mam.

— I, Piotrek, jeszcze jedno.

— Słucham cię, kochanie. — Są fajki! Muszę zapalić. A może lepiej dżointa?

— Masz, kurwa, nie jarać przed tym spotkaniem. I dobrze wiesz, że nie mówię o papierosach.

— Halinko, kochanie, przecież mnie znasz.

— Owszem, znam cię, dlatego to mówię. Nie pal, proszę, trawy przed tym spotkaniem. To ważne, Piotrek. Jak wszystko pójdzie dobrze, to wreszcie będziesz miał własny serial.

— Halinka, o czym my jeszcze mówimy? Zaraz spóźnię się na pociąg. A muszę wziąć prysznic, spakować czyste majtki i takie tam.

— Zuch chłopak. Tylko nie zapominaj umyć ząbków, bo będziesz musiał dzisiaj wylizać wiele tyłków.

— *Yes, sir!* Zrozumiano!

Muszę szczerze powiedzieć, że Halinka to, jak dotąd, mój najlepszy menadżer. No, ale koniec tego dobrego. Trzeba wyciągnąć dupę z wyra! Fajka, zimny prysznic, ale najpierw ostrożnie na tych pieprzonych schodach, co by się nie zjebać z tej antresoli. Co mnie, kurwa, podkusiło, aby kupić jakiś pieprzony loft czy jak to zwą? Chuja to praktyczne. Chyba czysty snobizm przeze mnie przemawiał, bo prawie za każdym razem, gdy schodzę stąd po imprezie, zaliczam glebę z tych pieprzonych schodów. Jaki kutas zaprojektował tak strome i wąskie schody? A jaki, jeszcze większy kutas, je tu wstawił?

Palę i jednocześnie próbuję zrobić sobie kawę. Ręce mi się trzęsą. Muszę uzupełnić poziom żelaza i magnezu. Znajduję w lodówce sok pomidorowy. Powinno wystarczyć. O, i chyba w szafie mam jeszcze czekoladę. Bingo! Teraz tylko kawka, prysznic i będę jak nowo narodzony. Muszę tylko pić tę pieprzoną kawę rozpuszczalną, bo ekspres mi się zjebał. Chyba z miesiąc temu… Nie mam naprawdę czasu tego ogarnąć. Dobra, woda się zagotowała, zalewam. Kawa sobie będzie stygła, a ja wezmę prysznic.

Naprawdę niewiele mi potrzeba do jedzenia. Ale bez kawy z rana to bym chyba umarł. I bez fajek. Najlepsza kupa jest po fajce i kawie. Zwarta i twarda. Dobra, jest dziesiąta. Naprawdę tak długo brałem prysznic? Zresztą, nieważne. Od siebie do Dworca Głównego mam jakieś dziesięć minut, a zawsze wychodzę piętnaście minut przed odjazdem pociągu. Nie lubię, jak stoję na tym pieprzonym peronie i ludzie się na mnie gapią! To takie frustrujące. Co w tym, kurwa, takiego niezwykłego, że jeżdżę pociągami? I chcę powiedzieć tym wszystkim wpatrzonym we mnie mordom: „Tak, kurwa! Mam ponad trzydzieści lat i nie mam prawa jazdy. I co z tego? I tak jestem, kurwa, zajebisty!" Bo jestem zajebisty. To jest moja mantra. Nie ma, kurwa, w Polsce lepszego aktora niż ja. Jestem *the best*!

O dziesiątej czterdzieści pięć wychodzę z domu. Oczywiście założyłem białą koszulę, dżinsy i conversy. To szczyt elegancji na jaki mnie stać. Garnitur wkładam tylko na naprawdę ważne gale, jak wtedy, gdy byłem jurorem na festiwalu w Gdyni. Piękne czasy... Widziałem tam najpiękniejszą kobietę na świecie, która po godzinie gdzieś zniknęła i nigdy więcej już jej nie spotkałem. Czasem, jak się masturbuję, to myślę o niej.

Dworzec we Wrocławiu jest teraz cały w pizdu, w remoncie. Ledwo znajduję jakiś pieprzony peron szósty. Zaczynam być zły na siebie, że jednak nie wybrałem samolotu. Moją złość za chwilę potęguje jeszcze fakt, że widzę dupę, którą wyruchałem wczoraj, a która wsiada właśnie do mojego pociągu. Uff... na szczęście mnie nie zauważyła i uff... na szczęście jedzie drugą klasą. Jak to plebs.

Nie wiem dlaczego, ale uwielbiam jeździć pociągami. I nie wiem, kurwa, dlaczego w Polsce tak narzekają na kolej. Przecież InterCity jest super! Znajduję swój wagon pierwszej klasy — oczywiście bez przedziałów, bo tylko wtedy mam pewność, że ktoś upierdliwy nie zacznie ze mną rozmawiać. Zawsze kupuję dwa miejsca obok siebie i jeszcze nikt nigdy w takim pociągu nie truł mi dupy. Co innego w tych pieprzonych samolotach! A chuj z tym! Na chwilę obecną mój plan jest prosty. Przespać się te pięć czy sześć godzin, aby być w dobrej formie na spotkaniu. Że też te kutasy z TV5 wyznaczyły spotkanie w niedzielę! Jebałby pies tych japiszonów! Idę spać, oby tylko za często konduktor nie sprawdzał biletów…

Kiepsko spałem. Miałem jakieś dziwne sny. Zawsze tak mam przed tego typu rozmowami. Pewnie to stres. Nienawidzę włazić w tyłek tym kutasom, co po znajomości dostali pracę. Proste, kurwa, wieśniaki, które bez swoich dalekich cioć czy wujków byliby nikim. W ogóle się nie znają na swojej pracy. Żal jakiś. Pozostali to dziwki i męskie kurwy, które za posadę wyliżą nawet najbardziej śmierdzące jajka. Albo rowa. Niezależnie od orientacji. Gardzę, kurwa mać, nimi. Inaczej. Gardzę tymi kurwami. Właściwie, to gardzę, kurwa, całą tą pieprzoną Warszawką i gdyby nie fakt, że tu właściwie kręcą wszystkie filmy i seriale, to nigdy w życiu bym tu nie zamieszkał. Za żadne skarby. Dlatego tutaj, w Warszawce, tylko wynajmuję mieszkanie. Nie mam zamiaru zostawać tu do emerytury. Może, jak podszlifuję swój angielski, to przyjdzie czas na Stany? Kto wie? Może przyjdzie czas, kurwa, na Oscara!?

Wyczołguję się z pociągu i szukam Halinki. Stoi przy ruchomych schodach i jak zwykle gada przez telefon. Dworzec w Warszawie też jest w totalnym rozpiździelu. *Oh fuck*! Ta dupa z „Bezsenności" mnie właśnie zauważyła! Kurwa! Chyba zastanawia się, czy podejść! Spierrrrdalaj! Halinka, ratuj! Uff, Halinka mnie zauważyła i rusza w moją stronę, będzie szybciej niż ta kurwa.

— Cud, tym razem pociąg przyjechał bez żadnych opóźnień. Czemu ty, cholera, nie latasz samolotami? Przecież to oni płacą za bilet.

— Cześć, Halinka. Nie lubię samolotów, wiesz o tym. — Ta dupa z wczoraj przeszła właśnie obok, patrząc na mnie tym wzrokiem pełnym żalu i pretensji. Chuj jej w dupę.

— Nie, kochanie, ty nie lubisz latać, tylko ty się boisz latać. A to wielka różnica. I dobrze oboje o tym wiemy. Ale nie martw się, twój sekret jest bezpieczny. Pójdę z tym do prasy dopiero, jak mnie zwolnisz. — Uwielbiam poczucie humoru Halinki! A dupa z wczoraj już zniknęła, uff.

— Gdzie zaparkowałaś?

— A gdzie? Jak zwykle w Tarasach. Nie mam czasu jeździć w kółko po centrum w poszukiwaniu wolnego miejsca.

— Złote Tarasy... Ze wszystkich centrów handlowych tego nienawidzę najbardziej. Największy snobizm tego miasta. Największe dno. Największe szambo.

— Zawsze to powtarzasz. A ja nie zliczę nawet, ile premier miałeś w „Multikinie" w Złotych. I jakoś wtedy nigdy ci nie przeszkadza to „centrum".

— Wiesz co?

— Co?

— Wal się, Halinka. — Oboje wybuchamy śmiechem.

Pakujemy się do jej czarnego mercedesa i kilkanaście minut później jesteśmy w siedzibie TV5 na Kanałowej. Uwielbiam niedziele za brak korków! Mam lekkiego stresa, ale to nic. Większe rekiny pożerałem w całości. Co prawda, gra się toczy o wysoką stawkę, ale dam radę. Dam, bo jestem, kurwa, zajebisty. I to jest moja mantra.

— Zdenerwowany? Dobrze będzie, Piotruś. Pozwól mi mówić na początek i odzywaj się tylko, jak będą cię o coś pytać. OK? Pójdzie dobrze, zobaczysz. — Wysiadamy z auta. Halinka zamyka pilotem samochód.

— Okej, ale pamiętasz, na co absolutnie się nie zgadzamy?

— Tak. Żadnych „Gwiazd na parkiecie". Ale u Regionalnego zgadzasz się wystąpić?

— Jak już muszę… — Otwieram drzwi wejściowe do tego gniazda żmij i ją przepuszczam.

— Okej, *showtime*!

Podchodzi do nas śliczna dziewczyna, która bardziej wygląda jak modelka Victoria's Secret niż jakaś sekretarka. Ubrana jest w obcisłą szarą spódnicę, która opina jej idealnie kształtną pupę, i białą bluzkę rozpiętą aż do piersi. Te piersi mają doskonały kształt. Albo dobrze dobrany stanik. I te jej nieziemsko smukłe nogi wyglądające tak bardzo seksownie w tych piekielnie wysokich szpilkach! Mniam! Chodź, kochanie, do tatusia! I jak tu teraz skupić się na rozmowie, gdy ten blondwłosy anioł jest powodem mojego półwzwodu?

— Proszę państwa za mną — powiedziała anielskim głosem. Mniam!

Halinka uśmiecha się do mnie i puszcza oczko. Zbyt dobrze mnie zna. Wie, że po wszystkim umówię się z tą dziunią. Aniołek prowadzi nas do sali konferencyjnej. Sala urządzona jest w stylu zen. Trochę to tandetne. Są tu jakieś kamyki ułożone na podłodze przy brzegach ściany. Jakaś fontanna na końcu sali wydaje niby relaksujący dźwięk, a pod projektorem stoi posąg Buddy. Klima jest chyba włączona na maksa, bo jest tu megazimno, jak się wchodzi. Blond aniołowi na pewno stwardniały sutki. Chciałbym zobaczyć te piersi bez bluzeczki! Ciemnobrązowe drewniane krzesła wokół topornego stołu wyglądają na meganiewygodne. Kto projektuje takie badziewia? Siadamy z Halinką przy oknie. Ona chyba też liczy, że padające w tym miejscu słońce nieco nas ogrzeje w tej Syberii. Siadamy i dosłownie sekundę później wchodzą faceci w czerni. Czterech gości coś w wieku Halinki — czyli tuż przed czterdziestką albo trochę po. Opaleni, uśmiechnięci, z wybielonymi zębami. Każdy z nich wygląda tak samo. Lata prezesury spasły ich brzuszki i przerzedziły włosy. Widzę, że jeden z nich próbował ratować się przeszczepem. Marnie to wygląda. Powiedziałbym nawet, że koszmarnie. Pewnie z dupy przeszczepił te włosy. Że też ja, kurwa, z takimi ludźmi muszę rozmawiać... Za nimi wchodzi blond aniołek z wodą i sześcioma szklankami. Pyta, czy coś jeszcze podać. Proszę o kawę, bo jest mi, kurwa, zimno. Przy okazji mogę się uśmiechnąć i dać znak tej dziuni, że ma szansę. Może być pięknym okazem do mojego albumu. Niezła z niej sztuka do mojej kolekcji.

— Panie Piotrze, mogę tak do pana mówić? — odezwał się ten najgrubszy i pewnie najważniejszy.

— Proszę mi mówić Piotrek.

— A więc pozwól Piotrku, że przejdę do rzeczy. W zasadzie już wszystko wiemy, tylko jeden z waszych warunków jest dla nas, jakby to powiedzieć, nie do przyjęcia.

— Który? — Kurwa, pewnie chodzi o te jebane „Gwiazdy na parkiecie".

— Chodzi oczywiście o „Gwiazdy na parkiecie" — ciągnie grubas. — To by się świetnie wpasowało w naszą ramówkę. Nowy serial, nowa gwiazda i nowa edycja „Gwiazd na parkiecie". To najlepsza promocja.

Już chciałem coś powiedzieć, ale Halinka mnie uprzedziła.

— Piotr nie brał, nie bierze i nie będzie brał udziału w tego typu programach. Takie są nasze warunki dla wszystkich stacji. „Gwiazdy na parkiecie" nie są po prostu zgodne z wizerunkiem Piotrka. By zaoszczędzić państwu i nam czasu, powiem wprost: albo panowie zgadzają się na nasze warunki, albo musimy podziękować za waszą ofertę.

— Dobrze, czyli rozumiem, że teraz i nigdy w przyszłości Piotr nie wystąpi w „Gwiazdach na parkiecie"?

— Tak! — Oboje z Halinką wręcz wykrzyczeliśmy to w tym samym momencie.

— Z doświadczenia wiem, że to się jeszcze zobaczy. Ale dobrze. Mówimy tylko o „Gwiazdach na parkiecie"?

— Tak. — Halinka wie, jak grać ostro.

— A wywiady?

— Niechętnie, ale Piotr przystanie na kilka wybranych magazynów i, oczywiście, wywiady w ramach stacji.

— „Poranek w TV5"? Regionalny?

— Tak, zgadzamy się.

— Dobrze, ale pierwszy wywiad, w którym oficjalnie ogłosimy, że Piotrek będzie gwiazdą nowego serialu i nowej ramówki, przeprowadzi wybrana przez nas dziennikarka dla wybranego magazynu.

— Byleby tylko nie był to „Express" czy „Na gorąco". — A co, ja też mam prawo coś powiedzieć od siebie!

— Synu, powiedziałem przecież magazyn, a nie gazeta, prawda?

Pozostali trzej faceci w czerni, którzy całe spotkanie milczeli, nagle zaczęli kiwać entuzjastycznie głowami, powtarzając w kółko: „Prawda". Co za kutasy! I co za kutas z tego grubasa! Nie jestem jego żadnym pieprzonym synem! I co za pieprzeni wazeliniarze! Niech się oni wszyscy jebią! Niech ich diabli biorą! Za debila mnie ma stary gruby łysy chuj czy jak?

— I chcielibyśmy, aby pierwszy wywiad ukazał się szybko, zanim informacja wycieknie… no… z drugiej ręki. Rozumiecie. Chcemy mieć nad tym kontrolę.

— Oczywiście, kiedy miałby być ten wywiad? — Halinka czuwa. Dobrze, bo mnie już wkurwiają te palanty i nie chce mi się ich dłużej słuchać.

— Może jutro? — odpowiada grubas, który ociera pot z czoła. Ha! Dlatego tu jest, kurwa, tak zimno!

— Jutro?! Ale jeszcze nawet nie podpisaliśmy umowy. — Halinka się chyba nieco wkurzyła, a może mi się tylko tak wydaje? Może to taka gra z jej strony, by szybko sfinalizować umowę?

— Działamy szybko. Nie lubimy, gdy informacje wyciekają bez naszej kontroli. Piotr może powiedzieć tylko jedno zdanie jakieś znajomej, że przechodzi do naszej stacji, a nazajutrz będą o tym trąbić we wszystkich gazetach.

Magazynach chyba. Debil. Taki ostrożny, że pewnie jak uprawia seks z prostytutką, to zakłada pięć gumek.

— Mogą panowie liczyć na naszą dyskrecję. — Halinka obdarza ich jednym ze swoich fałszywych uśmiechów.

— Możemy, nie możemy. My nic nie robimy w ciemno. Musimy mieć pewność. Proszę do dziś podjąć decyzję i jeśli się państwo zgadzają na nasze warunki, to proszę jeszcze dziś podpisać umowę, którą dla państwa przygotowaliśmy. Wszystko jest tak, jak ustaliliśmy. Stawka za dzień zdjęciowy to osiem tysięcy złotych netto. Zaraz każę jedynie zrobić korektę co do „Gwiazd na parkiecie". Proszę zapoznać się z umową i ją podpisać. Albo nie podpisać, jak się nie podoba. Tylko proszę to zrobić DZISIAJ.

Buc. Już, kurwa, tego „dzisiaj" bardziej nie mógł zaakcentować. Jezu, jak dobrze, że Halinka jest po prawie. Dzięki temu jeszcze żadna stacja nigdy mnie nie wyruchała, choć wszystkie próbowały. I ta też próbuje, bo gdzie ja bym w niedzielę znalazł prawnika na konsultację? Cwaniaki jebane!

— Proszę dać nam pół godziny — zadecydowała Halinka, a faceci w czerni wstają i idą w stronę drzwi. Kutasy jebane.

Zostaliśmy sami.

— Halinka, kurwa, mam dość. Zostawiam to tobie. Idę zajarać i wrócę za dwadzieścia minut. Wiesz, że nie jestem dobry w te klocki. Ufam ci w stu procentach. Dasz radę.

— Idź. Zobaczymy, czy ta gra jest warta świeczki.

— A nie jest?

Mam to szczerze w dupie. Ufam Halince w stu procentach, ufam jej, kurwa, we wszystkim. Dlatego jebanie się z jakimiś umowami, negocjacjami i innymi chujami zostawiam jej. Mnie to pierdoli. Wiem, że zrobi to lepiej, niż ja sam miałbym przewalać się z takimi kolesiami. Jestem pieprzonym artystą. Potrafię tylko grać. Ale robię to najlepiej w Polsce. Bo jestem zajebisty. Jestem najlepszym aktorem. I reszta mnie szczerze pierdoli.

Wychodzę z tej Syberii w stylu zen. Szukam mojego blondwłosego anioła. Gdzie jesteś skarbie? Bingo! Dopadam ją na schodach.

— Cześć. — Uśmiecham się do niej zalotnie.

— Dzień dobry, ale już się dzisiaj widzieliśmy. — Nawet głos ma jak anioł.

— Wiem, takiej twarzy nie sposób zapomnieć. Długo tu pracujesz? — Schodzimy razem ze schodów.

— Dwa lata. Prawie.

— Ja dopiero zaczynam pracować dla TV5. Pewnie będziemy się teraz częściej tu widywać. Może więc poznamy się bliżej na kawie? Albo kolacji? Dasz mi swój numer?

Daje. Jakie to jest, kurwa, proste. Jak dobrze jest być pieprzonym aktorem. Wychodzę na dwór i od razu wyciągam fajki. Odpalam papierosa zapalniczką, którą wysępiłem od tej cipy, co ją wczoraj zerżnąłem. Ma napis PLAYERS. To chyba znaczy gracz albo gracze. PLAYERSI. Czuję się jak gracz, który zaraz wygra wszystko. Zgarnie całą pulę. Co tu mówić, czuję się fantastycznie! Ten anioł dał mi właśnie swój numer, a może za chwilę dostanę po raz pierwszy swój serial. Mój własny serial! Będę w nim gwiazdą! Będę numerem jeden! I pierdolić ich „Gwiazdy na parkiecie"! Czuję, że to jest moje pięć minut, które będzie trwać wiecznie. Czuję się jak bóg! I te wszystkie kutasy, które przechodzą obok mnie, gapiąc się z uśmiechem, nigdy nie osiągną tyle co ja! Bo ja jestem gwiazdą! Ja zostałem stworzony do wyższych celów! To takie proste! Naprawdę! Dziwię się tym wszystkim nieudacznikom, co chcą od życia więcej. Przecież to takie proste! Wystarczy chcieć! Wystarczy być jak ja! A ja jestem zajebisty! To jest moja mantra!

Palę chyba z trzy czy cztery fajki pod rząd. Nawet nie zauważam, kiedy zleciało dwadzieścia minut. Dzwoni do mnie Halinka, że mam wracać na górę.

No to wracam. Jestem megapodekscytowany. Czy wszystko poszło zgodnie z planem? Wchodzę do pieprzonej sali zen. Halinka siedzi sama, jej mina nie wyraża nic. *Fuck!* Coś chyba jednak poszło nie tak....

— I...? — pytam.

— I... kurde, wszystko lepiej, niż planowaliśmy! Dziewięć tysięcy za dzień zdjęciowy! I żadnych „Gwiazd na parkiecie"! Naprawdę zależało im na tobie, ty skurwysynu!

— Halinka! Kurwa! Jesteś *the best*! Gdzie mam podpisać?

Halinka podsuwa mi dokumenty. Podpisuję się na każdej stronie umowy w prawym dolnym rogu i na ostatniej stronie. Przyklepane! To oficjalne! Od dziś gram, kurwa, w tym jebanym kraju pierwsze skrzypce! Jestem najlepszy! Jestem zajebisty! I to jest, kurwa, moja mantra!

— Podpisane. — Oddaję jej papiery.

— Gratuluję, skarbie!

— To ja gratuluję! Zasłużyłaś na megapremię. Jesteś *the best*, Halinka! Co dalej? Idziemy na kolację? Świętować? Chodź, narąbiemy się w trupa! Ja stawiam!

— OK, ale pójdziemy tylko na kolację. Bez picia, bo ty, kochany, masz być jutro trzeźwiuteńki.

— Bo co?

— Bo masz, kurwa, jutro wywiad.

Poszliśmy na kolację po jeszcze jednej krótkiej rozmowie z facetami w czerni w zen Syberii. I fakt. Miało być delikatnie, miała być tylko kolacja. Ale ja tak nie mogę. Nie mogę po prostu mało pić! Jakieś pieprzone wino do obiadu! To tylko podrażnia mój apetyt. Apetyt na picie, rzecz jasna. A było przecież co uczcić! Więc piłem dużo.

I, szczerze powiedziawszy, urwał mi się film. Ktoś tam się do nas przysiadł na tej kolacji, z kim bardzo dawno temu pracowałem przy czymś niskobudżetowym. Stare dzieje. Jakiś reżyser z filmówki, chyba z Katowic, z którym sto lat temu nakręciłem jakąś etiudę. Teraz, w wieku czterdziestu lat debiutuje jako reżyser, czego szczerze mu gratuluję. I chciał mnie w swoim filmie. Kurwa... Stary, zapomnij! Nie stać cię! Ty jesteś nikim, a ja nie zniżam się do takich poziomów. Etiuda to etiuda i to było dawno. A teraz cię na mnie zwyczajnie nie stać, pieprzony debiutancie!

W każdym razie ten reżyser z Katowic stawiał wódkę. Dobrą wódkę. I dużo wódki. Wchodziła jak kutas w rozjechaną dziwkę. Mój Boże, tak się najebałem, że od tamtego momentu, gdy się przysiadł, prawie nic nie pamiętam. A kiedy wyszła Halinka? Tego też nie pamiętam. Nawet nie wiem, jak trafiłem do swojego mieszkania w Wawie.

Ale jakoś trafiłem i teraz budzi mnie alarm. Nie wiem jak, kurwa, bo żadnego nie nastawiałem. A więc tak, urwał mi się film i pamiętam tylko tego reżysera z Katowic, który zaczął stawiać wódkę. Kto mi ustawił ten jebany budzik? Chyba Halinka. No to, kurwa, zaraz zacznie dzwonić. Ale po co? Dziś nie mam zdjęć.... O, kurwa, wraca świadomość. Chyba chodzi o ten jebany wywiad. O, telefon dzwoni. Halinka!

— Wstałeś?

— Tak, Halinka, ustawiłaś budzik w moim telefonie?

— Pamiętasz o wywiadzie?

— Coś mi tam świta.

— Punkt trzynasta. Restauracja „Lemongrass". Będzie też jakiś fotograf z tą dziennikarką, więc ładnie się ubierz.

— Naprawdę? Fotograf?

— No, ale nie przejmuj się. Taki magazyn. Większość zdjęć damy z twojej sesji. Tej z parku.

— No dobra. Jak chcesz. Jak chcecie. Która tak w ogóle jest, kurwa, godzina?

— Dziesiąta trzydzieści, skarbie. Ruszaj więc swoją seksowną dupką i zamów taksówkę na dwunastą trzydzieści.

— Jezu, mam jeszcze dwie godziny!

— Nie, Piotrusiu, jesteś jeszcze pijany! Widziałam cię wczoraj. Masz zjeść tłuste śniadanko i ruszać do boju.

— Jezu, tak na kacu?

— Dlatego dzwonię teraz. Pozbieraj się do kupy. Trzynasta, „Lemongrass" na Alejach Ujazdowskich osiem. Punkt trzynasta. Będzie czekać ta dziennikarka. Zamówić ci taksówkę, czy dasz sobie radę?

— Dam radę. Kurwa, co za Meksyk! Dobra, będę tam! Tylko się ogarnę!

— Dobry chłopczyk. Daj znać po, jak poszło.

Idę spać dalej. Walę śniadanie. Jeszcze jestem meganawalony. Zasypiam od razu jak dziecko. Za chwilę budzi mnie telefon. Przynajmniej tak mi się wydawało, że to była chwila.

— Piotrek, gdzie jesteś?

— Halinka?

— Jest trzynasta piętnaście. Dzwoniła przed chwilą ta dziennikarka.

— O, kurwa!

— Co to znaczy „o kurwa"?

— Zadzwoń do niej i powiedz, że będę za piętnaście minut!

Wyłączam się i dzwonię po taksówkę. Zamawiam ją za piętnaście minut. Lecę szybko pod prysznic. Słyszę, jak ciągle dzwoni telefon. Wiem, że to Halinka. I wiem, że jest na mnie wściekła. I wiem, kurwa, że ma rację. Sam jestem na siebie wściekły. Czemu mnie nie wyciągnęła wczoraj stamtąd za szmaty?

Jeszcze miałem mokre włosy, gdy pakowałem się do taksówki. Przez pół drogi walczyłem ze sznurówkami. Myślałem, że się tam zrzygam. Kazałem kierowcy zatrzymać się przy najbliższym McDonaldzie. Jakaś tłusta kanapka i kawa załatwią sprawę. Jest już megapóźno, bo jest trzynasta czterdzieści pięć, ale nie mogę jechać tam z oddechem walącym przetrawioną wódą. Muszę coś zjeść.

Konsumpcja w taksówce nie była jednak najlepszym pomysłem. Prawie puściłem pawia przy jakimś zakręcie. Jest, kurwa, naprawdę źle. Jak ja mam, kurwa, inteligentnie odpowiadać? Nie ma wyjścia, trzeba będzie walnąć klina. Wchodzę do „Lemongrassu" punktualnie o czternastej. Punktualnie, hmm, to chyba złe słowo. Mijam część restauracyjną i wbijam się do baru, gdzie będą na mnie czekać. Jezu, jak dobrze, że tam można palić. Wchodzę do baru, ale widzę tam tylko gościa z aparatem.

— Przepraszam, ale byłem umówiony na wywiad. Gdzie jest pana koleżanka?

— W toalecie. Cześć. Wojtek.

— Piotrek. Okej, to ja też pójdę skorzystać i chyba zaczynamy. — Jak dobrze. Boże, po tym żarciu z Maka strasznie zachciało mi się srać. Czuję, że to będzie megakackupa.

Idę do toalety i zamieram. Widzę, jak wychodzi z niej najpiękniejsza kobieta, jaką w życiu widziałem. Kobieta, którą zobaczyłem wtedy w Gdyni, a której nigdy więcej już nie spotkałem... Aż do dzisiaj. Jeszcze bardziej zachciało mi się srać. To najlepszy i chyba zarazem najgorszy dzień w moim życiu. Ten rudowłosy anioł o czarnych jak węgiel oczach tak często śnił mi się w nocy, że pamiętałem doskonale jej boską twarz. Ale myliłem się — w rzeczywistości jest jeszcze piękniejsza niż w mojej pamięci. Niż w moich snach. Niż w fantazjach. W takiej kobiecie mógłbym się naprawdę zakochać. A do tego jak ona cudownie pachnie! Tak zmysłowo i zarazem delikatnie. Tak dziewczęco i zarazem tak kobieco. Orientalnie, ale z nutką elegancji. Miliony myśli przebiegają teraz po mojej głowie. Jednak najpierw sranie, bo tak mnie ciśnie, że nie mogę się na razie na niczym skupić.

— Troszkę się pan spóźnił. Felicja Kosińska. — Wyciągnęła dłoń na powitanie. Jest taka ciepła i tak aksamitnie gładka, że mam ciarki na plecach.

— Przepraszam panią najmocniej. Proszę usiąść, zamówić sobie coś do picia na mój koszt, a ja tymczasem tylko skorzystam z toalety i już za minutkę do pani wracam.

Jest taka piękna. Boże. Niezwykła kobieta. Ubrana jak jakaś, normalnie, hipiska — w fioletową sukienkę w kwiaty, która tak pięknie pasuje do jej rudych włosów. To takie rzadkie połączenie, czarne oczy i rude włosy. I widać, że to naturalne, niefarbowane. Piękne i długie do piersi włosy. I to jakich piersi! Jej sukienka miała dość spory dekolt i ta dziewczyna ma czym go wypełnić! Uuu... właśnie wyrzuciłem z siebie chyba największego i najbardziej zbitego klocka w swoim życiu. I jeszcze do tego straszliwie jebie. Uciekam stąd. Kurwa, gdybym wiedziałam, że akurat JĄ dzisiaj spotkam, nigdy nie najebałbym się tak jak wczoraj. Kurwa, lepiej bym się też ubrał na ten wywiad. Psiknął jakimiś perfumami. Ba! Nawet bym się ogolił! Wchodzę z powrotem do baru. Siedzi tam i gada z tym fotografem. Jezu, chyba ich nic nie łączy?! Bo coś za mocno się śmieje z czegoś, co ten właśnie powiedział. Jezu, a jak oni śmieją się ze mnie?!

— Jeszcze raz przepraszam za spóźnienie. — Podchodzę do stolika, przy którym siedzą.

— Zaczniemy od sesji, a później zrobimy wywiad. Czy taka kolejność panu odpowiada?

— Słuchajcie. Będę z wami szczery. Spóźniłem się dziś, bo świętowałem wczoraj nową rolę. Dość ostro świętowałem i dziś zwyczajnie zaspałem... I nawet nie ubrałem się porządnie. Czy możemy, na przykład, jutro umówić się na sesję, a ja, oczywiście, za nią zapłacę? Strasznie, strasznie mi głupio, ale jednak chyba lepiej, abym dobrze wyszedł na tych zdjęciach, prawda?

— Proszę się nie obawiać. Jest przecież jeszcze Photoshop. — Jaka zgryźliwa! O, kochanie, chyba ci się zaraz oświadczę.

— Jak wolisz. Możemy się umówić na sesję jutro. I bez żadnych opłat — rzucił ten fotograf.

— Dzięki wielkie i *sorry* naprawdę, Wojtek. Dobrze pamiętałem? Wojtek?

— Tak. Spoko stary. Naprawdę, uwierz mi, to nie pierwszy raz się tak zdarza. Życie.

— Uff... No dobrze, to napijecie się czegoś?

— Właściwie ja już muszę spadać. Zostaw Felicji namiary i jak dorwę się wieczorem do kalendarza, to jakoś się ustawimy na jutro. Albo pojutrze. Pa, Felicja! Cześć. — Ściska moją dłoń. Czuję, że jego łapa jest strasznie spocona.

— Pa! — krzyczymy za nim jednocześnie, ale ten błyskawicznie wychodzi i pewnie nie słyszy.

Felicja to najpiękniejsze imię dla najpiękniejszej kobiety.

— Więc czego się napijesz?

— Może być cola light.

— Okej, a nie masz nic przeciwko, żebym się napił czegoś mocniejszego?

— Nie.

— I *sorry* jeszcze raz za sesję. Kurczę, nie wiedziałem, że to tak działa.

— Pan chyba rzadko udziela wywiadów.

— Proszę, nie mów do mnie per pan. Czuję się przez to staro, a chyba nie dzieli nas aż taka różnica wieku. I fakt, nie lubię udzielać wywiadów. I rzadko robię w tym temacie wyjątki.

— No, teraz chyba nie miałeś wyjścia. Przygwoździli cię pewnie z tego TV5.

No proszę, jaka poinformowana.

— No fakt. Nie miałem wyjścia... To zawsze tak wygląda?

— Nie. — Łagodnieje chyba, widząc wyraz mojej twarzy. — W normalnych czasopismach jest tak, że wynajmuje się studio, fotografa, wizażystkę, stylistę i co najmniej dla każdego z nich po asystencie. Ale tutaj jest nieco inaczej. Pismo, w którym ukaże się wywiad z tobą, ciągle wiedzie prym na rynku, jeśli chodzi o sprzedaż nakładu, ale jeśli chodzi o reklamy... no to kryzys ich zniszczył. A na sprzedaży magazynów się w tej branży nie zarabia, ale właśnie na reklamach.

— I ty pracujesz dla tego magazynu?

— Nie, jestem freelancerem. Dostaję zlecenia od magazynów, gazet, portali internetowych, rozgłośni, czasem nawet jakiejś stacji, by zrobić z kimś wywiad. Praca osiem godzin w biurze nie jest dla mnie.

— Dla mnie też! Dlatego zostałem aktorem. Okej, to zamówię nam picie, Felicjo, i zaczynamy, tak?

— Okej, Piotrek. Wyciągam tylko dyktafon i jestem gotowa.

Ręce mi się trzęsą, gdy przy barze zamawiam picie. Nie wiem, czy to przez kaca, czy może pierwszy raz od bardzo dawna naprawdę denerwuję się przed rozmową z piękną kobietą? Czy może chodzi o ten pieprzony wywiad? Kurwa, naprawdę nie wiem! Dobra, wracam z drinkami. Pora jechać z tym koksem. Siadam i patrzę jej głęboko w oczy. Są takie piękne.

— Okej, to zaczynamy. Może zacznę od małej rozgrzewki. Jaką książkę teraz czytasz? Jaki film oglądałeś ostatnio?

Yyyy… co to za pytania?

— Książka? — pytam jak jakiś głupek.

Jezu, nie pamiętam, kiedy ostatni raz czytałem jakąś książkę. Myśl, myśl Piotrek. Co kiedyś fajnego czytałeś. Kurwa! Że też akurat teraz mam jakąś zawiechę. O Felicjo… O! Bingo!

— Kosiński. *Diabelskie drzewo*.

— Uwielbiam ją! A film? Może jakiś w kinie?

— No, oczywiście, ostatni raz to byłem dwa tygodnie temu na premierze mojego najnowszego filmu *Kochaj i walcz*.

— A właśnie. Jak ci się pracowało z Igą Lepko?

— Cudownie. To bardzo zdolna młoda aktorka, która naprawdę ma szansę zrobić karierę za granicą. — Choć jest strasznie kiepska w łóżku. Jakbym walił dziuplę w drzewie, taka była sztywna i spięta. No, drewno.

— To już twój kolejny film, który okazał się sukcesem komercyjnym. Prawie czterysta tysięcy widzów poszło na *Kochaj i walcz* podczas pierwszego weekendu projekcji. Absolutny rekord!

— Prawda.

— Jak myślisz, co złożyło się na sukces tego filmu? Kurwa. JA!

— Doskonała reżyseria, świetnie dobrani aktorzy, scenariusz, zdjęcia. Po prostu wszystko.

— A szykuje się coś na miarę sukcesu *Kochaj i walcz*, ale może tym razem w telewizji? Chodzi mi, oczywiście, o serial z twoim udziałem.

Oho, zaczęło się. Dobra, jedziemy z tym koksem. Wałkuje ten temat na lewo i prawo. W tym czasie zamawiam sobie jeszcze dwa drinki. Już prawie nie czuję kaca. I jestem tak lekko wstawiony. Uwielbiam ten stan.

— Dobrze. To teraz muszę nieco podpytać o twoje życie prywatne, choć wiem, że tego nie lubisz.

— Mus to mus. Dawaj. — Upijam łyka.

— W swoim nowym filmie grasz Romana, który kocha się w typowej *femme fatale*. Co sądzisz o tego typu kobietach?

— Nie są w moim typie. Nie kojarzą mi się w ogóle ze zmysłowością, z kobiecością.

— To jaka kobieta jest w twoim typie?

Ty.

— Inteligentna. To po pierwsze.

Ruda.

— Uroda jest też ważna, ale nie najważniejsza. Oczy… one są zwierciadłem duszy. Poza tym musi mieć w sobie to „coś". Trudno to określić, ale jak spotkasz taką, to wiesz, że to jest to. No i zapach. Ponoć jest tak, że o tym, czy chcemy spędzić z kimś resztę życia, decydują tak naprawdę tylko dwa czynniki. Pierwszy to jest właśnie zapach, a drugi to pierwszy pocałunek.

Boże, jak ja chciałbym cię teraz pocałować!

— Jest taka kobieta w twoim życiu?

— Pozwolisz, że nie odpowiem na to pytanie.

— Okej. To już pewnie byłoby na tyle. Jeszcze dziś prześlę ci tekst do autoryzacji. Dasz radę do jutra przesłać poprawki?

— Jasne.

Bierze ode mnie numer i e-maila. Daje mi swoje namiary. Boże, jak ona cudownie na mnie patrzy. Czyżby między nami była chemia? Czy ona czuje to, co ja?

— Dziękuję bardzo za wywiad. Naprawdę bardzo miło mi się z tobą rozmawiało. — Podaje mi swoją dłoń. Jest taka delikatna…

— To ja dziękuję. To mój najlepszy wywiad, jaki do tej pory miałem.

— Polecam się na przyszłość. Jeśli jakieś czasopismo będzie chciało zrobić z tobą wywiad, to zawsze możesz szepnąć im słówko, że to ja mam go przeprowadzić. Mój numer już masz.

— Obiecuję, że tak zrobię.

— Wieczorem prześlę wywiad.

— Spoko, a ja ewentualne poprawki odeślę ci jutro.

— Cześć.

I poszła ze swoim dyktafonikiem i uśmiechem wartym milion dolarów. Wiem, że tak łatwo już o niej nie zapomnę. Muszę mieć jakiś plan. Wiem! Dzisiaj mam premierę filmu. Co prawda grałem tam pięciominutowy epizod i nie miałem zamiaru iść na nią, ale trzeba kuć żelazo, póki gorące. A laski chyba lecą na takie rzeczy, by pokazać się na premierze ze znanym aktorem. Nawet te inteligentne.

Wracam do domu. Ściszam telefon, choć wiem, że Halinka będzie próbowała się do mnie dobić, czy wszystko poszło okej. Muszę się wyspać. Jak wstanę i zjem jakiś normalny obiad, to zadzwonię do Felicji i spytam, czy nie pójdzie ze mną na premierę. Ale najpierw muszę się dobrze wyspać.

Trzy godziny snu i człowiek od razu czuje się jak nowo narodzony. Ale śniło mi się coś dziwnego. Śniło mi się, że wynająłem jakieś mieszkanie na parterze w samym centrum rynku we Wrocławiu. I to mieszkanie miało takie duże okna, których specjalnie nie zasłaniałem, bo kochałem się z Felicją i chciałem, by wszyscy patrzyli. A potem zasnęliśmy i ja nie pamiętałem, czy zamknąłem drzwi, czy nie, ale nie chciało mi się wstawać i sprawdzać. I w tym śnie budzę się, bo ktoś mnie szturcha. Otwieram oczy, a tu stoi przede mną jakiś trzydziestu Murzynów i jeden mówi: „Chyba nie zamknąłeś drzwi". Patrzę, a Felicja przerażona leży obok mnie. I zaczyna się jakaś masakra! Ale z pomocą przychodzi nam Kaczor Donald i ich wszystkich rozwala mieczem samurajskim. Potem na końcu Kaczor ginie, a my rozpalamy w kominku i leżymy sobie przy ogniu spokojnie, jak gdyby nigdy nic. Ciekawe, co oznacza ten sen?

Robię sobie skręta. Wypalam go, wypijam whisky z colą i dopiero wtedy jestem gotowy zadzwonić do Felicji.

— Cześć.

— Cześć. Przeczytałeś?

— Co?

— Przeczytałeś tekst? Wysłałam ci go jakąś godzinę temu.

Jezu, jaka ona jest szybka!

— Tak. Nie mam żadnych uwag — powiedziałem bez zastanowienia. No, to teraz naprawdę mam, kurwa, nadzieję, że nie będę miał żadnych uwag. Kuźwa, muszę to przeczytać!

— Super, to zaraz wysyłam do redakcji.

— Felicjo, jeszcze raz dzięki za wywiad. W ramach podziękowań i też w ramach pewnej desperacji, bo właśnie siostra wystawiła mnie do wiatru, chciałem zaprosić cię na dzisiejszą premierę mojego nowego filmu.

— *Lato za nami*?

— No, skąd wiesz?

— Mam zaproszenie na premierę. Szczerze mówiąc, nie planowałam się na nią wybrać.

— No tak, pewnie też dostałaś zaproszenie. Jako dla dziennikarki to będą dla ciebie nudy, ale jak pójdziesz za mną jako osoba towarzysząca, to skoczymy po premierze na *afterparty*, na które dziennikarze nie mają wstępu. Co o tym sądzisz?

— Kuszące, nie powiem. Zawsze zastanawiałam się, jak wyglądają te imprezy.

— Z chęcią ci dzisiaj taką pokażę.

— Okej. Widzimy się w kinie?

— Nie. Podjadę pod ciebie taksówką. Gdzie mieszkasz?

Zapisuję w telefonie adres. Już jest moja.

Punkt dziewiętnasta trzydzieści wychodzę. Przed domem czeka taksówka. Chyba po raz pierwszy od czasu festiwalu w Gdyni mam na sobie garnitur. Wszyscy dziś padną, ale muszę wyglądać doskonale. Ciekawe w co się ubierze Felicja? Gdy podjeżdżamy taksówką, omal nie padam z wrażenia. Felicja wygląda absolutnie CUDOWNIE! Ma zieloną sukienkę, to chyba jest ten, no… turkus, który doskonale pasuje do jej karnacji i tych rudych włosów. Sukienka jest megaobcisła, z długim rękawem, miniówka, brak dekoltu, ale za to jak się odwróciła, to okazało się, że miała odsłonięte całe plecy. Jezu, jakie ta dziewczyna ma piękne plecy! I pupę! Tak idealnie zgrabną, tak dużą, tak seksowną… i te długie nogi w lateksowych legginsach! Zakochałem się. Kurwa, zakochałem się! Bo takiego zjawiska to jeszcze nie widziałem. Czuję, jak ręce zaczynają mi się pocić, gdy wsiada do taksówki.

— Wyglądasz wspaniale.

— Dzięki. Ty również. Świetny garnitur. Doskonale leży.

— Szyty na miarę w Mediolanie.

— Widać, że to włoska robota.

— Ale ty… twoja sukienka. *Wow!*

— Na co dzień tak się nie ubieram. Właściwie ostatnio rzadko gdzieś bywałam. Miło, że mnie dziś zaprosiłeś. Dziękuję.

— A naprawdę wywiad jest świetny. Nie dałaś mi szansy! Nie mógłbym mieć choć jednej małej uwagi. Przeczytałem go i nie mogłem uwierzyć. Piękna, mądra i zdolna. Wywiad jest doskonały.

— Dzięki, jejku, ależ tych „dzięki" już padło w tej taksówce.

— Jesteś głodna?

— Szczerze mówiąc, to trochę tak.

— Może ominiemy film i tylko pójdziemy na *afterparty*?

— Jestem za! Od początku jakoś nie śpieszyło mi się go obejrzeć. *Sorry* za szczerość.

— Spoko, wiem. Zagrałem tam malutką rolę tylko dlatego, że obiecałem to staremu kumplowi. Ale film jest raczej taki sobie. Z kiepskiego scenariusza trudno coś sensownego sklecić. A ten od początku był kiepski i miał do dupy dialogi. Ale widzę, że jesteś bardzo na bieżąco z premierami.

— Oprócz wywiadów piszę też recenzje filmowe. Kocham cię. Boże, jak ja nie lubię, jak ci taksówkarze tak się gapią w lusterko. Tak, kurwa, to ja!

— Imponujące. A co napisałaś, na przykład, o *Kochaj i walcz*?

— Jejku, nie chcesz wiedzieć.

— Nie, ależ proszę. Odrobina krytyki wpływa na mnie konstruktywnie.

— Skoro tak mówisz... Okej. Było to mniej więcej tak... *Kochaj i walcz* to papka dla fanów „Mody na sukces". Komercyjny gniot dla mało wymagającego widza. Sam tytuł mówi wszystko o tym filmie — *Kochaj i walcz* mogłoby być mottem życiowym Chucka Norrisa. Ale...

— Jak dobrze, że jest „ale". — Nie mogę przestać się do niej uśmiechać. Jest piękna, mądra, zdolna i do tego jeszcze uszczypliwa. Jak dobrze robi loda i lubi gotować, to jeszcze dziś się mogę z nią ożenić!

— Ale jest coś w tym filmie, co sprawia, że warto go obejrzeć. To rola Piotra Pawelskiego. Genialna.

Wyjdź za mnie! Boże, nawet nie zauważyłem kiedy dojechaliśmy na miejsce i taksówka się zatrzymała na Twardej, przy mojej ulubionej azjatyckiej knajpce „Annapurna". Zapłaciłem i wysiedliśmy. Wchodząc do restauracji, po raz pierwszy miałem wrażenie, że ludzie nie patrzą na mnie, ale na Felicję. Nic dziwnego. Wyglądała naprawdę bosko. Żadna kobieta nie miałaby przy niej najmniejszych szans!

Usiedliśmy przy ostatnim wolnym stoliku. Zamówiłem od razu butelkę mojego ulubionego białego wina i przystawki. Doradziłem też Felicji danie główne, czyli Pad Thai Kung — tradycyjny tajski makaron z krewetkami i orzeszkami. Mogę z całą pewnością powiedzieć, że tutaj to moje ulubione danie, a próbowałem już naprawdę wszystkiego w tej knajpie.

— Świetne miejsce. Nigdy tu jeszcze nie byłam.

— Poczekaj na jedzenie.

— Trafiłeś w dziesiątkę. Uwielbiam kuchnię azjatycką. Zwłaszcza tajską.

— Cieszę się.

— Wiesz, chyba już cię widziałam w tym garniturze.

— Kiedy?

— Rok temu na festiwalu w Gdyni. Byłeś wtedy jurorem.

— Mogę ci się do czegoś przyznać?

— Wal. — Ależ ona wachluje tymi rzęsami!

— Pamiętam cię z festiwalu. Ale jakoś tak szybko uciekłaś.

— Wiem, chciałam podejść do ciebie i zrobić krótki wywiad, ale ciągle ktoś mnie wyprzedzał. A musiałam wracać, bo spałam u koleżanki w Gdańsku. No wiesz, SKM w Trójmieście nocą jeździ dość rzadko.

— Nie wiem. — Zaśmiałem się. Ja i jakaś SMK czy tam SKM? *Sorry...* — Zresztą nie sposób cię było nie zapamiętać. Dziś po raz pierwszy to nie na mnie ludzie gapili się na ulicy. Ba, w ogóle nie zwracali na mnie uwagi przy tobie!

Czerwieni się! Jaka ona jest słodka. Przynieśli przystawki i wino, to powinno przełamać bariery i ją trochę zluzować. I mnie. Jezu, strasznie się spinam przy tej kobiecie!

I tak jemy, piejmy, rozmawiamy o filmach. Mijają chyba dwie godziny, a my zapomnieliśmy o *afterparty* po premierze i w ogóle o bożym świecie. Zamawiam kolejną butelkę wina. I kolejną. Przy końcu trzeciej oboje jesteśmy już bardzo rozluźnieni. I pijani.

— Czemu nie chciałeś odpowiedzieć na ostatnie pytanie? — Po głosie słychać, że jest już mocno wstawiona. I ten mętny wzrok... Pożarłbym ją.

— Chodzi ci o kobietę? Czy jest jakaś w moim życiu? Nie ma.

— To czemu tego nie powiedziałeś?

— Wiesz, kobiety lubią tajemniczych mężczyzn. — Wybucham śmiechem. — A co to, kurwa, obchodzi jakąś panią domu, która będzie czytała ten wywiad, czy mam kogoś, czy nie? To moja sprawa, gówno jej do tego z kim się spotykam i czy w ogóle się spotykam. Moje życie prywatne to tylko i wyłącznie moja sprawa... A jak jest z tobą? Jest w twoim życiu jakiś mężczyzna?

— Od trzech lat.

KURWA! KURWA! KURWA! KURWA! KURWA! Dlaczego to mi się przytrafia! DLACZEGO?! *FUCK!* CZEMU AKURAT ONA?

— Ale ostatnio nie układa nam się najlepiej.

Uff... spokojnie, Piotrek. Jest nadzieja. Piłka wraca do gry. Chyba. Kurwa...

— Współczuję.

— Nie, spoko. To już długo trwa. Ten kryzys, wiesz... Oboje wiemy, że to już tylko kwestia czasu, kiedy się rozstaniemy. Ale, kurczę, dopiero skończyliśmy urządzać naszc pierwsze wspólne mieszkanie... No i teraz pewnie on sam tam się wprowadzi. Zresztą, nieważne. Nie chcę o tym mówić.

— Rozumiem.

— Bo widzisz, on ciągle pracuje i w ogóle nie ma dla mnie czasu. Mijamy się i już nie potrafimy spędzić ze sobą nawet jednej całej godziny, nawet jak jedziemy na wakacje. Ciągle się kłócimy.

— Aha.

— Wróciliśmy miesiąc temu z Dominikany. Dwa tygodnie w raju. A prawie w ogóle nie spędzaliśmy tam ze sobą czasu.

— No dziwnie. Faktycznie dziwne. — Jezu, czy ona teraz będzie godzinę opowiadać mi o swoim facecie?! Naprawdę?

— Jezu, zanudzam cię. Przepraszam.

— Nie, no co ty! Absolutnie nie zanudzasz.

— Jesteś miły, wiesz? I naprawdę masz talent.

— Dzięki.

— Chcesz pojechać do mnie? — Niespodziewanie z jej ust padło pytanie, które sam chciałem zadać cały wieczór.

— A twój chłopak?

— Nie ma go, ma kancelarię w Polsce i na Sycylii. I teraz jest we Włoszech, broni zapewne jakiegoś mafiosa.

— Ojej, brzmi groźnie.

— To co, jedziemy do mnie?

Dawniej, gdyby to powiedziała jakakolwiek inna kobieta o takiej urodzie, już dawno prosiłbym o rachunek. Ba, nawet bym nie czekał na rachunek, tylko rzucił w ciemno na stół czterysta złotych i już bym siedział z dziunią w taksówce. Dawniej, czyli do wczoraj. Nie wiem, czy chcę pierwszy raz kochać się z Felicją po pijaku. Nie wiem właściwie, czy w ogóle chciałbym się z nią dzisiaj kochać. Tak szybko... Chciałbym, żeby ta chwila była wyjątkowa. Naprawdę pierwszy raz od dawna czuję do jakiejś kobiety coś więcej niż tylko pociąg fizyczny. Nie chcę tego spieprzyć, nie mogę tego spieprzyć.

— Piotrek?

— Tak, słucham cię?

— To jedziemy?

— Nie wiem, czy to jest dobry pomysł. Jesteś z kimś. Może najpierw wyjaśnijcie sobie pewne sprawy, rozstańcie się czy co, a potem pomyślimy.

— Piotrek, zapraszam cię na dobre, dziesięcioletnie wino, a nie na orgię do rana. Słyszałeś, co przed chwilą mówiłam?

— Tak. — Boże, za bardzo się zamyśliłem i nie mam zielonego pojęcia, co do mnie mówiła.

— Czyli jedziemy?

— Tak. Nie. Boże, nie wiem.

— Jak z babą. — Cholera, nawet uśmiech ma idealny. Czemu taka laska nie jest aktorką? Albo nie pracuje w telewizji?

— Okej, trudno odmówić dziesięcioletniemu włoskiemu winu. Zwłaszcza po trzech butelkach innego niewłoskiego wina. Pójdę tylko uregulować rachunek. Możesz w tym czasie zadzwonić po jakąś taksówkę?

— Jasne.

Idę chyba nieco chwiejnym krokiem do baru. Ciągle nie wiem, czy to jest najlepszy pomysł, abym jechał do jej mieszkania. Proszę o rachunek, wyszło prawie czterysta złotych. Drogie te wina piliśmy. Ale jakby tak policzyć, to te czterysta złotych zarabiam za piętnaście minut pracy. Zostawiam dwadzieścia złotych napiwku i wychodzimy.

Taksówka już na nas czeka. Felicja podaje adres. Czuję, jak uderza mi do głowy ostatnia lampka wina. Patrzę na nią i nie mogę w to uwierzyć, jak bardzo jest piękna. Odwraca się w moją stronę i to się jakoś tak samo stało. Patrzyliśmy na siebie chwilę, nie, pożeraliśmy się wzrokiem przez chwilę i… zaczęliśmy się całować. Najpierw delikatnie, później coraz bardziej namiętnie. Całowaliśmy się tak przez całą drogę do jej mieszkania. Świat na zewnątrz przestał dla nas istnieć.

Zatrzymaliśmy się przed jej osiedlem. Zapłaciłem taksówkarzowi, który tylko gapił się na nas z uśmieszkiem. Ale mam to w dupie. Jestem pijany od tego wina, od tego wszystkiego, co właśnie zdarzyło się przed chwilą. Jestem pijany od tego pocałunku. Jestem zakochany jak jakiś gówniarz, nie mogę przestać dotykać tej kobiety. Chcę ją złapać za rękę, ale odpycha mnie.

— Nie tu, sąsiedzi mogą nas zobaczyć.

Otwiera drzwi i szybko wchodzimy do budynku. Jest to jakieś megalansierskie osiedle, z ochroną na dole czy portierem. Jeden chuj. W windzie znów zaczynamy się całować. Wchodzimy do jej mieszkania i jestem w lekkim szoku. Albo dziennikarze w Polsce nieźle zarabiają, albo ten jej facet jest naprawdę megadziany.

— Piękne mieszkanie.

— Dzięki.

Wszystko urządzone z niesamowitym smakiem. Takie nowoczesne i *fancy* jak te mieszkania, w których czasem kręcimy filmy czy seriale. Wielka kuchnia połączona z jeszcze większym salonem. Felicja bierze mnie za rękę i prowadzi do sypialni. O Boże, to się jednak stanie dzisiaj. A ja nawet nie mam przy sobie kondomów. Nic.

— Mogę skorzystać z toalety?

— Pewnie. Jedna jest obok kuchni, druga przy sypialni.

— Może być ta koło sypialni. — Całuję ją w ucho. Jak ona pięknie pachnie!

Łazienka, oczywiście, też ogromna. Biało-czerwona, taka, jaką kiedyś sobie wymarzyłem. Wielki prysznic, a obok jacuzzi. *Wow*. Naprawdę jakiś szok. Robię szybko siku i myję wacka. Mam nadzieję, że będzie dziś też jakiś lodzik. Wychodzę z łazienki, a Felicja leży już na łóżku. Ma na sobie tylko seksowny czarny gorset i przezroczyste czarne majteczki. Na tle białej pościeli wygląda tak seksownie, że od razu mam megawzwód. Uśmiecha się zalotnie. Zrzucam z siebie ciuchy i zostaję w samych bokserkach, z których wystaje mój twardy kutas. Podchodzi do mnie i opuszcza bokserki. Bierze go do buzi. Boże, dziewczyna idealna! Jest mi tak dobrze, jestem już, kurwa, prawie zakochany. Robi to doskonale. Pomaga sobie prawą ręką. Tak jak lubię najbardziej. Dobra dziewczynka, jeśli zaraz tego nie przerwę, to chyba skończę w tej jej ślicznych małych usteczkach.

Biorę więc ją za ramiona i podnoszę z podłogi. Całujemy się namiętnie, a ręką sprawdzam, czy jest już mokra. Jest, i to bardzo. Podnoszę ją, nie przestając całować, i idziemy w stronę łóżka. Rzucam ją na łóżko i próbuję rozpiąć gorset. Jest to o wiele trudniejsze niż ze stanikiem. Wreszcie robi to sama i moim oczom ukazuje się para idealnie okrągłych piersi. Sutki też ma perfekcyjnie — nie za małe ani nie za duże. Brązowe, a nie te różowe, jak u świni, których nie znoszę u lasek. Zostały tylko majtki, ale te delikatnie rozsuwam i nachylam się nad jej cipką. Chcę poczuć, jak smakuje. Delikatnie językiem zgarniam jej soki, czuję, jak Felicja się kurczy i jak przechodzą przez nią kolejne dreszcze. Smakuje wybornie, jak dojrzała i soczysta brzoskwinia. Najlepsza cipka, jakiej do tej pory skosztowałem. Prawdziwe niebo w gębie. Chcę w nią wejść, ale waham się, bo nie mam prezerwatywy. Nie chcę, by była na mnie za to zła.

— Nie mam gumy.

— Spoko, biorę tabletki — wydyszała cicho.

Wchodzę w nią, gdy ona leży na brzuchu. Jest taka mokra, ale zarazem tak idealnie ciasna. Ruszam się najpierw powoli, później coraz szybciej i szybciej. Czuję, jak co chwilę zaciska się jej pochwa. Strasznie mnie to podnieca, bo jeszcze żadna laska tak się na mnie nie zakleszczała. Chyba trenowała mięsień Kegla... Ale zaciska, o Boże! Jeszcze chwila i w niej dojdę. Jezu, jeszcze sekunda...

— Mogę w tobie skończyć?

— Tak! Albo... chwila...

Ale już w niej skończyłem, jak tylko usłyszałem „tak". Trochę mi głupio, ale naprawdę nie mogłem się powstrzymać. Wyszło ze mnie chyba z pół litra spermy! I Boże Święty, już dawno nie miałem tak intensywnego orgazmu! Ostatni raz chyba jak byłem nastolatkiem i masturbowałem się przy „Playboyach" ojca. A teraz... to niesamowite. Ciągle jestem w niej i ciągle mam wzwód. To naprawdę niezwykłe. W końcu ona odwraca się do mnie i zaczynamy się znów całować. Ciągle jestem twardy i podniecony. Zaczynam się w niej delikatnie poruszać, ale chyba jeszcze za wcześnie, bo trochę boli mnie wacek. Jest jeszcze zbyt wrażliwy. Powoli wychodzę z niej, ale wiem, że jak najszybciej chcę tam wrócić. Kładę się obok Felicji i jest mi tak dobrze jak nigdy. Do szczęścia brakuje mi tylko papierosa.

— Mogę zapalić?

— A możesz na balkonie?

— Jasne, to za chwilę. Jeszcze chcę poleżeć trochę przy tobie.

— Piotrek, przepraszam cię.

— Za co mnie, słońce, przepraszasz?

— No, za to, co się przed chwilą stało. To nie jest w moim stylu. Boże, myślisz pewnie, jaka jestem okropna, i no ten... łatwa. Dzisiaj dopiero co się poznaliśmy i tego samego dnia poszliśmy do łóżka.

Nie chcę jej tego mówić, ale to dla mnie norma.

— No, i na dodatek mam faceta. Tylko...

— Wiem, macie kryzys.

— Też, ale i inny kryzys. Od prawie trzech miesięcy w ogóle nic, a w ciągu ostatniego roku to w sumie... Jezu, na palcach jednej ręki mogę policzyć.

— To po co bierzesz tabletki? — Boże, dlaczego akurat o to ją zapytałem?

— Nie wiem, chyba z przyzwyczajenia. Ale… Powiem ci szczerze. Jak tylko zobaczyłam cię dzisiaj przy tej toalecie, to poczułam coś, czego od tak dawna nie czułam… Jakiś magnetyzm, takie zwierzęce pożądanie! Może zbyt długo nie uprawiałam seksu? Nie wiem, może… Musiałam się trzy razy mocniej skupić na tym wywiadzie, bo ciągle myślałam o tym, jak bardzo chciałabym cię pocałować.

— Felicjo, nie martw się. Nie myślę o tobie w tej kategorii. Jesteś tak totalnie inna niż wszystkie te dziewczyny, które znam. Wiem, że my znamy się dopiero jeden dzień, ale ja już to czułem, o czym ty teraz mówisz, już tam, na festiwalu w Gdyni, gdy zobaczyłem cię po raz pierwszy.

— Naprawdę?

— Nie mówię tego, by zrobiło ci się lepiej. Mówię to, bo to jest prawda. I twój facet to prawdziwy idiota albo impotent, bo mając taką kobietę jak ty, nigdy nie wychodziłbym z łóżka.

— Wiem.

— Kopnij go w dupę. Zasługujesz na kogoś lepszego.

NA MNIE!

— Pójdziesz ze mną na balkon? — Odgarnąłem jej włosy z czoła.

— W sumie nie palę, ale teraz chyba mam ochotę na papierosa.

Balkon też ma ogromny. Wszystko w tym mieszkaniu jest wielkie. Kim jest ten jej facet, że ma tyle kasy?! Siadamy w rogu balkonu i wyciągam papierosy. Zapalam zapalniczką od tej zeschizowanej dupy z Wrocławia. Nie chcę mieć z nią żadnych skojarzeń. Ble! Kładę zapalniczkę na posadzce i nie mam zamiaru brać jej z powrotem. PLAYERS. Moja gra skończona. Wygrałem, co chciałem. Wygrałem Felicję.

— Nie miej wyrzutów sumienia. A przede wszystkim nigdy niczego nie żałuj.

— Wiem, lepiej żałować, że się coś zrobiło, niż że się czegoś nie zrobiło. Znam to. — Gasi swojego papierosa. — Jednak nie mogę palić. Nie znoszę tego smaku. Dziwię się, jak można palić to świństwo!

— Nie wiem, ale z drugiej strony nie wyobrażam sobie życia bez fajek. Chcesz, bym został na noc?

— A chcesz zostać na noc?

— Chcę, choć jutro rano mam zdjęcia. A jeszcze muszę nauczyć się tekstu. — Tym razem nie było to kłamstwo.

— Jutro wraca mój facet. Co prawda wieczorem...

— To może lepiej pojadę. Ale chcę cię jeszcze zobaczyć.

— Dobrze. — Uśmiecha się. Czuję mrowienie w brzuchu. Czy to te pieprzone motylki?

— Okej, zadzwonię po taksówkę.

Ciężko będzie mi się z nią dzisiaj rozstać. Ciągle mam wzwód i dalej jej pragnę. Chcę ją dotykać, całować, kochać się z nią. Albo tylko leżeć obok niej i zasnąć. I obudzić się obok niej. Ale dzwonię po tę pieprzoną taksówkę. Podaję chyba prawidłowy adres. Wracamy z balkonu do mieszkania i ubieram się, szybko, bo taksówka będzie za dziesięć minut, a chcę ją jeszcze pocałować. I chcę, by ten pocałunek trwał wiecznie.

— Zadzwonię do ciebie jutro. — Podchodzę do niej już ubrany i znów odgarniam włosy z jej czoła. Uwielbiam to robić. Wygląda teraz tak pięknie, ubrana tylko w biały, długi, satynowy szlafroczek. — I kopnij w dupę tego gościa, nie jest wart takiej kobiety jak ty.

— Wiem. — Nachyla się i zaczynamy znów się całować. Trwa to sekundę, a może całą wieczność. Przerywa nam telefon. To z centrali, bo taksówkarz już czeka od dziesięciu minut. Po raz pierwszy od bardzo dawna nie chcę iść. Ale muszę.

— Dobranoc, rudowłosy aniele.

— Dobranoc, Piotr.

I już mnie nie ma.

Rozdział 3

FELICJA

Zamknęłam drzwi i stoję przed nimi jak zamurowana. Nie wierzę w to wszystko, co się stało. Nie wierzę, że to zrobiłam. Po raz pierwszy zdradziłam Marka. To już chyba najlepszy dowód na to, że między nami wszystko skończone. I z kim to zrobiłam! Boże, z aktorem, który ma pewnie setki takich dziewczyn jak ja! I to w ten sam dzień, kiedy się poznaliśmy! Naprawdę nie wierzę, że to się stało. Bo jak? To za dużo jak na jeden dzień. Jezu! I zrobiłam to w naszym łóżku! Boże, muszę zmienić pościel!

Biegnę szybko do sypialni i ściągam pościel z kołdry i poduszek, zdzieram gwałtownie prześcieradło i biegnę do łazienki. Nastawiam pranie, biorę nową pościel i jak jakaś wariatka szybko ją zmieniam. Chyba oszalałam! Naprawdę! Boże, tyle myśli kłębi się teraz w mojej głowie... Mam rozstać się z Markiem czy może jest jeszcze co ratować? I co z tym Piotrkiem? Dla niego pewnie byłam kolejną panną, z którą miał jednorazową przygodę. Nie sądzę, by traktował mnie poważnie. Jest dość znany w Warszawie z tego, że zalicza wszystko, co się rusza. Koleżanki z planu, statystki, asystentki reżyserów i jakieś przypadkowe dziewczyny. Nie, on na pewno nie myśli o mnie poważnie. Powinnam o nim zapomnieć. To był zwierzęcy instynkt, tylko seks. Tak dawno nie uprawiałam seksu, że byłam bardzo wyposzczona. To dlatego. Inaczej w życiu nie przespałabym się z facetem, którego w ogóle nie znam. To takie nieprofesjonalne. Boże, żeby to się tylko nie rozeszło! Nie, raczej Piotrek nie będzie nikomu o tym opowiadał. Mam przynajmniej taką nadzieję. Która godzina? Jezu, już prawie druga, a jutro muszę napisać artykuł o twórczości Polańskiego. Matko. Dobra, myję zęby, zmywam makijaż, ściągam soczewki i kładę się do łóżka.

Nie mogę zasnąć. Czuję się taka brudna, może powinnam wziąć prysznic? Chyba nie jestem jednak stworzona do zdrady. Kocham Marka, naprawdę, ale ostatnio tak źle się dzieje w naszym związku, że nie wiem, czy przetrwamy ten kryzys. On ciągle pracuje, ciągle siedzi w tej kancelarii, w tych przeklętych papierach i wraca zmęczony. Nawet w weekendy. I przez to na nic nie ma ochoty... pójść do kina, wyjechać na weekend czy nawet kochać się ze mną... Czuję się jak w klatce. O, SMS. O Boże, to Piotrek. „Nie mogę zasnąć, bo myślę o tobie. Mam wrażenie, że moja pościel pachnie tobą. Chciałbym, żebyś tu była. Dobranoc mój rudowłosy aniele". I jeszcze ten. O co mu chodzi? To nie był tylko seks czy jak? I jeszcze skończył we mnie! To mnie naprawdę rozzłościło! Choć w sumie powiedziałam na początku „tak", że może we mnie skończyć... Sama dałam mu zielone światło. No stało się, choć to wszystko absolutnie nie powinno mieć miejsca. Kocham Marka, ta zdrada uświadomiła mi to, że chyba jednak powalczę o nas. Tak zrobię! Jutro wróci i spróbujemy od początku. Pójdziemy najwyżej na jakąś terapię. Jesteśmy ze sobą od trzech lat, to coś znaczy. Jest co ratować. Tylko co z tym Piotrkiem zrobić? Nic mu nie odpiszę. Pewnie ma ochotę jeszcze na seks, Casanova jakiś. Niech idzie z tym do innej, to był tylko ten jeden jedyny raz. Nie chcę więcej zdradzać mojego Marka. Kocham go i teraz to wiem. Ale z tym Piotrkiem było jednak mi dobrze. Prawie miałam orgazm. A może to tylko dlatego, że byłam taka wyposzczona? Tak, to na pewno dlatego. Jezu, która godzina? Już po trzeciej? Dobra, naprawdę muszę iść już spać.

Dziesiąta rano. Całe szczęście jakoś udało mi się w końcu zasnąć. Ale miałam okropne sny. Dalej nie wiem, co mam robić. Rozstawać się z Markiem czy nie? I co z tym Piotrkiem? Czy on może naprawdę myśleć o mnie inaczej niż tylko jak o panience do zaliczenia? Nie. To niemożliwe. Nie taki facet jak on. Tacy się nigdy nie zmieniają. Może mieć każdą, więc nie sądzę, by akurat mnie spotkał ten, chyba wątpliwy, zaszczyt. Pewnie, jak typowy aktor, to straszny pijak, kobieciarz i samolub. I narcyz. Ale coś mnie tam, w środku, niestety, do niego ciągnie. Dobra, koniec tego dobrego, muszę napisać tekst!

Jem jak zwykle otręby z jogurtem i owocami. Jeszcze wypiję podwójne espresso i jedziemy z pracą. Nawet nie chce mi się ubierać, siadam w szlafroku przed laptopem z kolejną kawą i od razu słyszę pukanie. Patrzę przez wizjer. To pani Jadwiga. Kurczę, zapomniałam! Dziś przychodzi posprzątać! Otwieram drzwi.

— Dzień dobry, pani Jadziu. Bardzo panią przepraszam, ale czy może pani przyjść jutro? Mam bardzo dużo pracy i całkiem zapomniałam, że dziś pani przychodzi. Oczywiście zapłacę za dzisiejszy dzień.

— Jutro nie mogę. Syn przyjeżdża, rozumie pani.

— Jasne. Kiedy pani może?

— Pojutrze.

— Niech będzie. — Lecę do kuchni po portfel, wyciągam sto złotych i wracam szybko do drzwi. — Proszę i jeszcze raz bardzo panią przepraszam.

— Rozumiem, praca to praca. Mogła pani wcześniej zadzwonić i powiedzieć, bym nie przychodziła.

— Oczywiście. To widzimy się pojutrze.

— Niech będzie i tak.

Jejku, całkiem zapomniałam o pani Jadzi. Mam nadzieję, że nie będzie zła. Tak trudno teraz o dobrą i niedrogą osobę do sprzątania. Jezu! Nie wyciągnęłam wczoraj prania! Lecę szybko do łazienki i puszczam pościel jeszcze raz, aby nie śmierdziała stęchlizną. Słyszę SMS.

„Wstałaś już? Ja od rana na planie. Myślę o Tobie. P". A odczep się! Wracam do komputera. Twardo nic mu nie odpisuję. Chociaż chciałabym coś odpisać. Bo w sumie bardzo miły jest w tych SMS-ach. Nie sprawia wrażenia, jakby chodziło mu tylko o seks. A Marek milczy od dwóch dni. Nic. Nawet „dobranoc" nie napisze. A co, odpiszę Piotrkowi.

„Wstałam, próbuję zabrać się do pracy, ale ciężko mi idzie" — wysłane.

„Wiem, mam podobny problem. Może skoczymy jutro na jakąś kolację? Dziś raczej późno skończę zdjęcia. I przyjeżdża ten Twój, tak?" — odebrane.

„Tak, dziś przyjeżdża. Kolacja, hmm..." — wysłane.

„Albo ja coś ugotuję. Robię najlepsze na świecie kanapki z serem!" — odebrane.

„Brzmi kusząco, ale chyba podziękuję" — wysłane.

„No, to tajska restauracja. Tajskiego jedzenia chyba nie odmówisz?" — odebrane.

„Fakt, z tym będzie ciężej. Okej, jutro dam ci jeszcze znać" — wysłane.

„Miłego dnia, Słońce. Mogę zadzwonić wieczorem?" — odebrane.

Co ja mam mu odpisać? Po co on chce do mnie dzwonić? Po co chce się ze mną w ogóle jeszcze spotykać? Przecież chodzi mu tylko o seks, na pewno o nic więcej. Dostał już to, co chciał. Chce jeszcze więcej seksu? Boże, co mu odpisać? Nie wiem, co mam o tym wszystkim myśleć. Muszę z kimś o tym porozmawiać, bo zwariuję. Nie ma szans, że skupię się dziś na pracy. Dzwonię do Majki. Wiem, że teraz nic nie robi, bo rzuciła pracę i szuka nowej. Wyciągnę ją na miasto.

Majka, oczywiście, się zgadza i umówiłyśmy się za półtorej godziny w „Paparazzi". Ale jak się mogła nie zgodzić? Obiecałam, że postawię jej lunch. Biorę szybki prysznic, wreszcie spłukuję z siebie wczorajszą noc. Nawet włosy myję dwa razy. Szybko je suszę, robię delikatny makijaż, ubieram tylko dżinsy, podkoszulek i jestem gotowa. Boże! Artykuł! Przez ten wczorajszy dzień mam dziś problemy z koncentracją. Wszystko wyleciało mi z głowy! Dzwonię do redakcji i zachrypniętym głosem mówię, że mam grypę żołądkową i prześlę im artykuł jutro. Dobrze, że teraz pół redakcji na to choruje i oni to oczywiście rozumieją. Współczują mi i życzą szybkiego powrotu do zdrowia. Jeden problem z głowy. O, kolejny SMS. Piotrek oczywiście.

„To jak, mogę zadzwonić czy jestem zbyt nachalny?" — odebrane.

„Odezwę się. Miłego dnia" — wysłane.

Zakładam jeszcze tylko cudowne balerinki w panterkę, które kupiłam przedwczoraj, i jestem gotowa. No i płaszcz, chyba nie jest już za ciepło na dworze. Wchodzę na balkon i sprawdzam. Nie jest tak źle, nawet ciepło. O, coś srebrnego leży na balkonie. Kurczę, zapalniczka Piotrka! Ale by było, gdyby Marek ją znalazł! PLAYERS, to chyba dość znany club w Amsterdamie. No nic. Wkładam ją do kieszeni spodni. Trzeba wychodzić, bo się zaraz spóźnię. Biorę samochód i za dwadzieścia minut już wchodzę do „Paparazzi". Byłabym wcześniej, ale, oczywiście, nie mogłam znaleźć miejsca do zaparkowania. Majka już jest w środku. Siedzi przy barze i pije drinka.

— Spóźniłaś się, kochana. — Całuje mnie w policzek na przywitanie.

— Wiem. Wiesz, jak jest ze znalezieniem wolnego miejsca o tej porze w centrum.

— Ładnie wyglądasz, jakoś tak inaczej.

— Dzięki. — Ach to pewnie te feromony. I wczorajszy seks.

— Co podać? — przerywa nam rozmowę barman.

— A ty co pijesz, kochana?

— Jak zwykle cosmopolitana.

— O trzynastej?

— Przecież nie pracuję.

— Okej, chcesz coś zjeść?

— Już zamówiłam. Sałatkę aktorską. — Trafiła jak kulą w płot!

— Hmm, ciekawy wybór. Dla mnie będzie sałatka z łososiem i sok pomarańczowy.

— Cosmopolitan.

— Nie, Majka. Wiesz, że jestem autem.

— Pieprz to, weźmiesz taksówkę i jutro wrócisz po samochód. Przecież widzę, że przydałby ci się drink. Chyba nie wyciągasz mnie z rana do knajpy, bo się za mną stęskniłaś? Wiem, że o czymś chcesz pogadać, a z cosmopolitanem będzie ci łatwiej.

— Więc jak? — Barman jest jakiś niecierpliwy. Chyba nie chce dostać napiwku.

— Okej, sałatka z łososiem i cosmopolitan, ale z wódką waniliową.

— Z czym?

— Wódką waniliową. — Jezu, tylko ja tak piję cosmopolitana?

— Skoro tak chcesz, tak zrobię.

— I proszę podać tam, do stolika. — Majka wstaje i idę za nią w kierunku kanapy.

Siadamy. Rozglądam się. Lokal jest pusty. Wielki dwustronny bar z podświetlonymi alkoholami naprawdę robi wrażenie. Uwielbiam to miejsce, nigdy nie spotkasz tu żadnej gówniarzerii, drinki są pyszne i nie trzeba przekrzykiwać się przez zbyt głośną muzykę. Jedyny minus jest taki, że tu można palić. Nie wiem, jak oni obeszli zakaz.

— A jak tam w ogóle było na Dominikanie?

— Nie opowiadałam ci?

— Nie, od twojego powrotu jeszcze się nie widziałyśmy.

— Bosko, wrzuciłam nawet kilka fotek na Facebooka.

— Widziałam, widziałam, nawet polajkowałam.

— Markowi też się podobało?

— Nie wiem, chyba tak.

— Znów przez cały czas pracował?

— Prawie. Ja szłam na plażę, on do pokoju pracować. Spotykaliśmy się na posiłkach i wieczorem szliśmy na dyskotekę w hotelu. Wypijał piwo i zostawiał mnie tam samą. Ale ja bawiłam się wybornie.

— Czyli poznałaś kogoś? — Majka upiła łyk swojego cosmopolitana.

— Przed tobą nic się nie ukryje.

— Wystarczy tylko na ciebie spojrzeć — rozkwitasz!

— To też nieco inna historia…

— Dawaj od początku. Kogo poznałaś na Dominikanie?

— Włocha. Ortodontę.

— Ortodontę?!

— Niesamowity facet! Wysoki, wysportowany…

— Pewnie ciemne włosy, czarne oczy? Marzenie…

— Nie, właśnie nie. Łysy i niebieskie oczy. I cały wytatuowany. I miał pełno kolczyków. W brwi, w języku, w uszach i nawet przebite brodawki!

— Boże, co za kontrast w porównaniu z tym twoim nudnym Markiem! No i co było?

— W sumie nic, oprócz tego, że się całowaliśmy. Oczywiście, jak mnie tak Marek zostawiał w tej dyskotece, to w końcu do mnie podeszła taka grupka Włochów, która przyjechała razem na wakacje. I wśród nich był ten mój. Ale powiem ci, Majka, że jak tylko go zobaczyłam pierwszy raz w tym hotelu, od razu wiedziałam, że coś z tego będzie.

— Ale tylko się całowaliście?

— No, tylko całowaliśmy… Teraz nawet trochę żałuję, że nie poszłam z nim do łóżka. Był taki cudowny… Jak podeszli do mnie pierwszy raz ci Włosi, wiesz, to wzięliśmy taksówkę i podjechaliśmy do miasta, aby zobaczyć inne dyskoteki. I nagle jedziemy przez las, a ja zdałam sobie sprawę, że nie mam przy sobie portfela, telefonu, jestem z obcymi facetami na Dominikanie i nikt nawet nie wie, gdzie teraz jestem i z kim.

— *Oh fuck*, chyba od razu wytrzeźwiałaś!

— Od razu! I łapię swojego ortodontę za rękę i mówię mu, że ma się mną opiekować, bo nic nawet ze sobą nie zabrałam. I on mnie objął i całą noc bardzo się o mnie troszczył. A jak całuje, Majka... Ja się tam rozpływałam w jego ramionach!

— I coś z tego dalej będzie?

— Nie wiem. Raczej nie. Nawet nie mam jego numeru telefonu. Mam go tylko w znajomych na Facebooku.

— A to wylukam go.

— Najgorsze, że on nie zna angielskiego, a mój włoski jest dobry, ale nie na tyle, by zrozumieć wszystko, co do mnie mówił.

— To co z Markiem teraz?

— No właśnie. O tym właśnie chciałam porozmawiać z tobą. Nie uwierzysz, jaki miałam wczoraj dzień...

Opowiadam Majce z najdrobniejszymi szczegółami te ostatnie zwariowane dwadzieścia cztery godziny z mojego życia. W tym czasie przynoszą nam sałatki i mojego drinka. Zamawiam następnego dla Majki.

— *Wow*, naprawdę z tym Piotrkiem? Ja nie mogę, ten gość zawsze bardzo mi się podobał. Szczęściaro!

— Ale to był tylko seks, nie sądzę, by chciał czegoś więcej.

— Ale z jego SMS-ów tak nie wynika. No chyba że byłaś tak dobra, że chłopak chce jeszcze. Ale wydaje mi się, że raczej nie traktuje cię jak dziewczynę do łóżka.

— Tak też powiedział...

— Ciężka sprawa, kurczę. Co chcesz zrobić?

— Chyba muszę rozstać się z Markiem. Wiesz, takie historie jak z tym ortodontą czasem się zdarzały, ale aż do wczoraj nigdy nie zdradziłam Marka. I to w naszym łóżku...

— Kurczę, ale i tak cię podziwiam, że przy tak długiej posusze wytrzymałaś aż do wczoraj! Bo z Markiem dalej nic?

— Nic, nawet na Dominikanie. Raz coś próbowałam, ale był zmęczony i musiał porozmawiać z Sylwią na Skype o czymś tam ważnym.

— Jezu, on i ci jego wspólnicy!

— Daj spokój, Majka. To są chyba jego jedyni znajomi. Ale fakt, Sylwia strasznie mnie irytuje. Swoim zachowaniem, wyglądem, głosem, a już zwłaszcza tym swoim piskliwym śmiechem! Nie wiem, ale ona ma coś takiego w sobie, że mnie od niej odpycha na kilometr!

— Sylwia i Paweł? Dobrze pamiętam?

— Tak, Sylwia i Paweł, najmniej dobrane małżeństwo, jakie znam. Oboje są tak mdli i zmanierowani, że nic dziwnego, że zostali prawnikami.

— Ja nic nie chcę ci mówić, kochana, ale Marek też taki jest.

— Wiem.

— I ten jego motyw z ciuchami. Nie można go dotykać, bo mu się ciuchy pogniotą! Jak ty to w ogóle wytrzymujesz?

— Nie wiem. Bo go kocham. I nie jestem pewna, czy chcę się z nim rozstawać. Dopiero co skończyliśmy remontować jego mieszkanie.

— No i co z tego. Ty masz swoje mieszkanie, on swoje. Nie ma problemu przy rozstaniu.

— Tak, ale ja też wpakowałam w remont tego mieszkania swoje pieniądze.

— Chyba swoich rodziców. — Majka zaczęła się śmiać. — Jeszcze po jednym?

Zamawiamy kolejne cosmopolitany. Fakt, mieszkanie dostałam od rodziców. Oni też dorzucili się do remontu mieszkania Marka, ale z mojej marnej pensji to najwyżej mogłabym kupić kanapę. I to na raty.

— No więc, co z Markiem? I co z Piotrkiem?

— Nie wiem. Myślisz, że powinnam spotkać się z Piotrkiem jeszcze raz?

— Ja na pewno bym się spotkała. Takie ciacho!

— Ja też, bo coś mnie do niego ciągnie. Ale z drugiej strony… kocham tego swojego Marka.

— To zrób tak. Weź ty go dzisiaj zaciągnij do łóżka, zobacz, czy jest tam jeszcze chemia, czy może nie umywa się do ostatniej nocy z Piotrkiem. Seks jest zawsze barometrem związku, jeśli seks będzie udany, to znaczy, że jest jeszcze o co walczyć i co ratować. Jeśli seks będzie do dupy, to znaczy, że związek też jest do dupy. Każ mu się spakować i dzwoń do Piotrka.

— Do dupy mówisz… — Jakoś strasznie mnie rozbawiło to porównanie.

— Wiesz, o co chodzi. Idź za ciosem, mówię ci. Jak seks będzie do bani, to jest już koniec. Nie ma co ratować.

— Okej. Masz rację. Tak zrobię.

— Ale jeśli chcesz znać moje zdanie to wiesz jakie jest. Zawsze uważałam, że nie pasujecie do siebie z Markiem. On jest taki sztywny i śliski. Mało szalony.

— No, jest starszy ode mnie prawie dziesięć lat, to automatycznie jest troszeczkę poważniejszy niż my.

— Nie, tu nie chodzi o wiek. On po prostu taki już jest. Tylko praca, praca i praca. Nic więcej z życia. Ja kibicuję Piotrkowi. Takie jest moje zdanie, kochana. I trzymam za ciebie kciuki.

— Dzięki, Majka, za radę. I za rozmowę.

— Nie ma za co, kochana, zawsze możesz na mnie liczyć. A już zwłaszcza jak płacisz!

Uwielbiam jej poczucie humoru. Znamy się od podstawówki i jest to jedyna osoba, o której mogę powiedzieć, że jest moją prawdziwą przyjaciółką. Idę do baru zapłacić. Wypiłam dwa drinki, hmm. Nie czuję się pijana, ale wiem też, że nie mogę prowadzić. Co tu zrobić? Zamówić taksówkę? O! Wiem! Mam lepszy pomysł. Pójdę na zakupy! I tak chciałam kupić jakiś płaszczyk. I może kozaki? A zresztą, na zakupach będę mogła sobie to wszystko przemyśleć. Może Majka ze mną pójdzie?

— Wiesz co, chyba pójdę na jakieś zakupy, pochodzić po sklepach. Dwie godziny i już będę mogła wrócić swoim samochodem. Idziesz ze mną? Podrzucę cię później do domu.

— Z chęcią, ale, po pierwsze, nie mam kasy i nie lubię chodzić po sklepach, jak wiem, że nic sobie nie mogę kupić. A po drugie, mam jutro jakąś rozmowę, więc chcę się do niej przygotować.

— W porządku, to widzimy się może w weekend?

— Okej, to daj mi znać. I kup sobie jakąś scksowną bieliznę na dzisiejszy wieczór!

— A wiesz, że to jest dobry pomysł. Nawet bardzo dobry! Dzięki Majka! Za wszystko! Bardzo pomogła mi ta rozmowa… Naprawdę.

— Pisz jak się rozwija sytuacja. Jezu, może będziesz spotykać się z Piotrkiem i może ja też go poznam?! Ale jaja!

— Nie sądzę, by tak było, ale kto wie. Do wczoraj nie uwierzyłabym, gdyby ktoś mi powiedział, że się z nim prześpię w moim własnym łóżku i to tego samego dnia, w którym się poznaliśmy. Więc wszystko może się zdarzyć.

— Pa, kochana. — Majka całuje mnie w policzek.

— Pa!

Pięć sklepów później i trzydzieści przymierzonych kompletów wreszcie znalazłam to, czego szukałam. I to w H&M-ie, kto by pomyślał. Seksowny, koronkowy, czerwony stanik i stringi do kompletu. Ugotuję ulubione danie Marka — krewetki w sosie słodko--kwaśnym z dzikim ryżem i pietruszką. Do tego świeczki, romantyczna muzyka i czerwone wino. To będzie naprawdę cudowny wieczór! Czas teraz zrobić zakupy żywieniowe. Gdzie jest najbliższa Alma?

Wróciłam z zakupów do domu koło dziewiętnastej. Marek przyleci o dwudziestej pierwszej trzydzieści, więc w domu będzie po dwudziestej drugiej. Mam ponad trzy godziny, aby zrobić się na bóstwo i ugotować kolację. O kurczę! Znowu zapomniałam o praniu! Nastawiam je po raz trzeci. Sprawdzam godzinę na telefonie i znów SMS od Piotrka. „Czy mój rudowłosy anioł da się skusić na rozmowę?". Oddzwaniam do niego.

— Cześć Piotrek. — Staram się, by mój ton brzmiał obojętnie.

— Cześć, miło słyszeć twój głos. — Słychać, że jest naprawdę zadowolony, że dzwonię. Może naprawdę nie chodzi mu tylko o seks?

— Chciałeś pogadać, więc dzwonię.

— Chłopak już wrócił?

— Nie, będzie po dziesiątej.

— I co planujesz?

— To znaczy?

— No, czy rozstajesz się z nim?

— Nie wiem, jeszcze nie podjęłam decyzji.

— Hmm... Okej. Ale dasz się jutro wyciągnąć na kolację?

— Zobaczymy. Mam teraz mały mętlik w głowie i muszę to sobie najpierw wszystko uporządkować. Daj mi troszkę czasu, okej? Odezwę się do ciebic jutro. — Bo albo jutro mu podziękuję i grzecznie każę mu się odczepić, albo dziś z Markiem będzie totalna katastrofa w łóżku i koniec naszego związku. A tym samym zielone światło dla pana Piotra.

— Okej. Daj znać jutro. Chociażby tylko SMS-em. Miłego wieczoru, słońce.

— Nawzajem, pa.

Nie wiem, ale coś mnie ciągnie do Piotrka. Jak tak myślę o wczorajszej nocy, to naprawdę było nam cudownie. I na kolacji, i w łóżku. Nie sądzę, że to tylko dlatego, że tak długo nie uprawiałam seksu. To coś więcej. Jedyne, czego się boję, to to, że może chodzi mu tylko o seks, o nic więcej. Że nie jest typem faceta, który chciałby się ustatkować. No i, oczywiście, póki jestem z Markiem, nic i tak by z tego nie było więcej poza seksem. Muszę szybko podjąć jakąś decyzję, bo mam wrażenie, że Piotrek nie jest typem faceta, który będzie długo czekał. Ale muszę też dać szansę Markowi, dać szansę nam, w końcu byliśmy ze sobą kilka lat. Majka naprawdę mi dobrze doradziła. Jeśli seks z Markiem będzie dobry, to trzeba ratować nasz związek i będę musiała zapomnieć o Piotrku. A jeśli seks będzie do bani, to powinniśmy się rozstać. I wtedy zobaczymy, co wyjdzie z Piotrkiem. Tak właśnie zrobię. To dobry plan.

Najpierw robię się na bóstwo. Golę dokładnie. Marek nie lubi, jak mam tam na dole chociaż wąziutki paseczek. Muszę w końcu wybrać się na depilację laserem. Myję włosy, układam je tak, jak Marek lubi, czyli zaczesuję je do tyłu w koński ogon. Robię makijaż, mocno podkreślam czarną kredką oczy i brwi. Tak jak lubi Marek. Zakładam nowy komplet bielizny i swoją seksowną, nieco przezroczystą koszulę nocną. Jest perfekcyjnie. I jest dwudziesta pierwsza trzydzieści. Czas mam doskonały. Piszę mu SMS-a z pytaniem, czy już wylądował. Odpisuje, że bez opóźnień i będzie w domu za jakieś czterdzieści minut. Wszystko zgodnie z planem. Włączam nastrojową muzykę, odpalam świeczki, które porozstawiałam w całej kuchni. Dobrze, że Piotrek zostawił wczoraj swoją zapalniczkę. Musiałabym teraz lecieć jeszcze do sklepu po zapałki. Okej, wszystko jest już przygotowane. Biorę się więc za gotowanie.

Punktualnie o dwudziestej drugiej piętnaście do mieszkania wchodzi Marek.

— Jak tu pachnie! Felicja, czy robisz to, o czym myślę?

— Twoje ulubione krewetki.

— Mmm! Jejku, dawno ich nie robiłaś!

Marek wchodzi do kuchni i przez chwilę milczy, widząc mnie w tym seksownym ubranku i podającą mu lampkę z winem. Dawno nie patrzył na mnie w ten sposób. Oj, chyba wszystko będzie dobrze. Chyba jednak to był tylko chwilowy kryzys.

— *Wow*, naprawdę *wow*! Wyglądasz rewelacyjnie, kochanie! Z jakiej okazji to wszystko?

— Bez okazji. Postanowiłam zrobić ci małą niespodziankę po powrocie…

— Ale trafiłaś, umieram z głodu!

Siadamy do stołu. Marek chyba naprawdę był głodny, bo wielki talerz krewetek zjadł w pięć minut. Podaję mu dokładkę. Świeczki się palą, muzyka gra. Pijemy wino, tylko on nic nie mówi. To dlatego, że jest taki głodny czy co? Kiedy oboje skończyliśmy jeść, zalotnie zapytałam:

— Może pójdziemy do sypialni?

— Jak chcesz.

Wstaję, podchodzę do niego i biorę go za rękę. Wiem, że nie mogę go dotykać, bo jeszcze coś się pogniecie. Marek i te jego koszule! Ale jestem już wytresowana. Jak pies.

— Zdejmij ciuchy — szepczę mu do ucha i sama ściągam koszulkę nocną.

Posłusznie zdejmuje spodnie, rozpina koszulę. Ma dziwną minę, sama nie wiem, tak jakby z jednej strony chciał, a z drugiej nie. Kiedy jest nagi, rozpina mi stanik i ściąga stringi. Nawet nie zauważył, że są nowe. Nieważne. Całujemy się, ale nie ma w tym żadnej namiętności. Nie ma też gry wstępnej. Od razu wkłada mi i pcha na chama. Jestem jeszcze sucha, ale nawet nie raczył sprawdzić. Jeździ tak we mnie chyba z piętnaście minut. Leżę na plecach i nie mam z tego absolutnie żadnej przyjemności. Czy on nie czuje, że nie jestem nawilżona? I w ogóle na mnie nie patrzy! Błądzi wzrokiem po całym pokoju. Wszędzie się patrzy, tylko nie na mnie. Wreszcie skończył w środku. Cały dygocząc, spojrzał teraz na mnie. I poczułam, jak od razu zmiękł. Wyszedł ze mnie i położył się obok.

— Nie mogę — wydusił z siebie.

— Jesteś zmęczony?

— Też, ale nie o to chodzi. Nie mogę tak dłużej żyć, Felicja. Nie mogę cię dłużej okłamywać.

— O co chodzi?

— Mam romans. Z Sylwią.

W jednej chwili zawalił się cały mój świat. Nagle wszystko ułożyło się w jedną logiczną całość! W ciągu jednej sekundy. No jasne, że miał romans! Dlatego tak długo potrafił wytrzymać bez seksu! Dlatego tak długo „pracował"... I to z kim ma ten romans? Z Sylwią?! Żoną swojego wspólnika i najlepszego przyjaciela! I ona też jest jego wspólniczką! Jezu, co za patologia! To koniec! Z jednej strony czuję się tak podle jak nigdy dotąd, ale z drugiej strony naprawdę mi ulżyło... To wreszcie koniec! Boże! Jakie to oczywiste! To koniec! Naprawdę się cieszę!

— Chciałabym, abyś jutro się spakował i wyprowadził — powiedziałam naprawdę spokojnym głosem. Prawie obojętnym tonem.

— Felicja... przepraszam cię.

— To nieważne. To nieważne. Po prostu chcę, by jutro cię tu nie było. Byś zniknął z mojego życia i nigdy nie wracał.

— Skarbie...

— Wiesz, naprawdę się cieszę, że tak wyszło. Zastanawiałam się nawet, co jest ze mną nie tak, że nie chcesz się ze mną kochać. A okazało się, że to z tobą jest coś bardzo nie tak. Przecież to żona twojego najlepszego przyjaciela! Twojego wspólnika!

— Wiem.

— Jak długo to trwa? Mam prawo wiedzieć.

— Dwa lata...

— Dwa lata? Chyba żartujesz?!

— Przepraszam cię...

— To trwa od dwóch lat?! Nie chcę cię znać, Marek! I mam nadzieję, że będziesz na tyle honorowy i oddasz wkład finansowy, jaki włożyłam w remont twojego mieszkania.

— Chyba twoi rodzice włożyli.

— Marek, nie obchodzi mnie, gdzie pójdziesz, ale nie chcę cię tu dzisiaj widzieć. Jutro rano zniknę, a ty w tym czasie spakuj swoje rzeczy. Daję ci cały dzień. Od dwunastej do północy. Klucze zostaw na dole, u pana Zbyszka.

Wstał z łóżka i zaczął się ubierać. Dojrzał coś w rogu pokoju. Zapalniczka Piotrka. Musiała mi wypaść z kieszeni, jak się rozbierałam.

— Od kiedy ty palisz?

— Przecież wiesz, że nie palę.

— Więc skąd to?

— To Piotrka Pawelskiego.

— Tego aktora?

— Tak.

— A skąd tu się wzięła? — Schylił się po zapalniczkę.

— Bo był tu wczoraj.

— Słucham? — Marek stanął jak wryty, ściskając mocno zapalniczkę. Boże, jeszcze godzinę temu odpalałam nią świeczki i miałam nadzieję, że jednak wszystko się jeszcze ułoży... Jaka ja byłam ślepa! I głupia.

— Co to znaczy, że był tu wczoraj? Jak? Skąd? — Patrzy na zapalniczkę i wkłada ją do kieszeni. Naprawdę coraz dziwniej się zachowuje... Powinien już iść, bo jest mi niedobrze, jak na niego patrzę.

— Wiesz Marek, chyba właśnie straciłeś prawo do wypytywania mnie o moje życie intymne.

— Spałaś z nim?

— Może tak. A może nie. Ciebie nie powinno już to obchodzić. Ubierz się i wyjdź. Nie mogę na ciebie patrzeć ani jednej sekundy dłużej. Proszę cię, wyjdź!

Czuję, że zbiera mi się na płacz. Ale mówię sobie: Nie! Nie! Będę twarda do samego końca. Nie dam satysfakcji temu draniowi, który okłamywał mnie przez dwa lata, jednocześnie pieprząc, za przeprosze- niem, Królową Lodu. Boże, on sam wymyślił dla niej ksywkę „Królowa Lodu"! Teraz już chyba wiem, co miał na myśli! Niech tylko wyjdzie, a od razu dzwonię do Piotrka. Albo nie, muszę ochłonąć. Jutro się z nim spotkam. Pójdę z nim do tej tajskiej knajpki. Będzie dobrze. Musi być dobrze. Tak widocznie miało być.

— Dlaczego jeszcze tu jesteś? — Wstaję, mijam go i zamykam się w łazience. Słyszę trzaśnięcie drzwiami i dopiero wtedy zaczynam płakać.

Rozdział 4

MAREK

N awet nie jest mi specjalnie przykro z powodu Felicji. Tak naprawdę to czuję ogromną ulgę! I tak strasznie się cieszę! Tak strasznie! Wreszcie koniec! Koniec z tym ukrywaniem się! Koniec z romansem! Jeszcze tylko Sylwia musi wziąć rozwód z Pawłem i możemy zacząć żyć od nowa, jak ludzie! Wysiadam z windy i myślę co teraz zrobić. Z samochodu zadzwonię do Sylwii i powiem jej dobrą nowinę. A potem pojadę do niej i to uczcimy! Pawła przecież jeszcze nie ma. Jest w Holandii. Jak na skrzydłach podchodzę do samochodu. Czy zamknąłem drzwi wejściowe? A, przecież

Felicja jest w domu. Zresztą to nie jest już mój dom. To nie jest już ważne. Z tego podekscytowania i radości trzęsą mi się ręce, gdy wybieram numer Sylwii.

— Cześć, kotku!

— Marek? Jeszcze nie dojechałeś do domu?

— Dojechałem.

— I co, nie ma tej twojej rozpieszczonej małolatki?

— Jest, a raczej była.

— Marek, trochę cię nie rozumiem.

— No zgadnij.

— Jest późno, kotku…

— No zgadnij.

— Co mam zgadnąć? Marek, mów jaśniej!

— Rozstałem się z nią!

— Z Felicją?

— No, a z kim?

— Naprawdę? Ale czemu?

— Jak to czemu? Sylwia, nie mogę tak dłużej żyć. Po prostu nie mogę! Kocham cię i to z tobą chcę być. Chcę się z tobą ożenić.

— Powiedziałeś jej?! A co z Pawłem?

— Wiesz co, to nie jest rozmowa na telefon. Jadę do ciebie.

— Marek, umawialiśmy się, że nie będziemy się nigdy spotykać ani w moim, ani w twoim mieszkaniu.

— Wiem kochanie, ale dziś jest wyjątkowy wieczór. Poza tym Paweł wróci dopiero pojutrze z Holandii.

— Tak, ale…

— Kwiatuszku, już do ciebie jadę.

— Dobrze. Niech będzie. Czekam.

Po drodze łamię chyba z dwadzieścia przepisów i dostałbym chyba ze sto punktów karnych. Na szczęście nie spotkałem policji. Chcę tylko jak najszybciej znaleźć się obok Sylwii. Móc ją dotknąć, powąchać jej włosy, kochać się z nią. Szkoda mi trochę Felicji, ale to naprawdę nie miało sensu. Fakt — była piękna, młoda, miała cudowne ciało i była naprawdę inteligentna, ale to jeszcze dziecko. A Sylwia to prawdziwa kobieta. Z klasą. Niesamowita w łóżku i inteligentna, ale w całkiem inny sposób niż Felicja. Życzę Felicji, oczywiście, jak najlepiej, bo to dobra dziewczyna. Tylko o co jej chodziło z tym aktorem? Bo ewidentnie to zmyśliła. Chciała wzbudzić we mnie zazdrość czy co? Zresztą to już nieważne. Nic nie jest ważne. Liczy się tylko Sylwia. I, całe szczęście, już jestem przy jej osiedlu.

Chcę kupić jakieś kwiaty, ale wszystkie kwiaciarnie w pobliżu są zamknięte. Żałuję, że nie pomyślałem o tym wcześniej, mogłem przecież podjechać do centrum. Mam ogromną ochotę dać teraz Sylwii kwiaty. To dziwne, bo Felicji może kupiłem ze dwa razy bukiet róż. I to na samym początku naszej znajomości. Gdy wchodzę do bloku, w którym mieszka Sylwia, z ekscytacji znów zaczynają trząść mi się ręce. Chyba nigdy w życiu nie byłem bardziej szczęśliwy niż w tym momencie. Jestem wreszcie przed jej drzwiami. Dzwonię. Otwiera mi ubrana w długą, białą koszulę nocną, na którą ma zarzucony długi satynowy szlafrok w kwiaty. Wygląda przepięknie. Mój anioł.

— Wiem, że nie powinienem tutaj przychodzić. — Całuję ją w policzek i wchodzę do mieszkania. Jezu, jak ja dobrze znam to mieszkanie. Tyle razy z Felicją byliśmy tu na imprezach i na kolacji. Ale nigdy nie byłem tu jako kochanek Sylwii. I dziś jest ten pierwszy raz. Aż dostałem gęsiej skórki na samą myśl. O matko! Czy zamknąłem samochód? Na pewno zamknąłem…

— Nie powinieneś. Fakt, właściwie musimy to uczcić. Naprawdę z nią koniec?

— Tak, powiedziałem jej o nas.

— Marek… myślisz, że to jest dobry pomysł? Że ona nic nie powie o nas Pawłowi?

— Nie powie. Znam Felicję, to po pierwsze. — Siadamy w salonie obok siebie na kanapie. — A po drugie, musimy też powiedzieć Pawłowi.

— Marek, rozmawialiśmy już o tym.

— Wiem. Wiem, kochanie. Ale chcę z tobą być. Cholera. Chcę spędzić z tobą resztę życia. Ożenić się z tobą. Mieć razem dzieci. Chcę ciebie i tylko ciebie.

— Marek… kocham cię, ale nie wiem, czy jestem gotowa na rozwód z Pawłem. — Zaczynam całować ją w szyję. — Inaczej: nie wiem, czy on jest gotowy na rozwód. Przecież wiesz, jaki jest wrażliwy.

— Chodźmy do sypialni.

— Marek... to chyba byłaby przesada.

— Ten jeden jedyny raz. Potrzebuję cię dzisiaj.

Całuję ją w usta. Długo i namiętnie. Delikatnie zjeżdżam językiem z jej szyi w kierunku piersi. Nie ma stanika. Czuję, jak bardzo nabrzmiałe są jej sutki. To mnie strasznie podnieca. Od razu drugą rękę wkładam jej między nogi. Jest mokra. Jest tak cholernie mokra! I tak szybko. Nie to co Felicja. U niej gra wstępna musiałaby potrwać co najmniej z godzinę, by była tak nawilżona. Sylwia to prawdziwa kobieta. Próbuję doprowadzić ją do orgazmu, pocierając jej łechtaczkę. Jednocześnie drugą ręką ugniatam jej pierś. Jest taka ciepła, jędrna i zarazem taka mięciutka. Mam wzwód. Chce się z nią kochać. Tylko ten samochód... Może powinienem szybciutko sprawdzić czy jest zamknięty?

— Chodźmy do sypialni.

— Marek, nie wiem, czy dam radę tam... w naszej sypialni...

— Ciii... Kochanie, tylko ten jeden raz. Obiecuję.

Nie przestając się całować, idziemy powoli do ich sypialni. Po drodze Sylwia ściąga moje spodnie i rozpina koszulę. Tylko ona potrafi robić to w ten sposób, aby później nie było żadnych zagnieceń. Już w ogóle prawie nie myślę o aucie. Ściągam jej szlafrok i niemal rozrywam koszulę nocną, ale mnie powstrzymuje. Wreszcie rzucamy się na łóżko. Całuję jej piersi, jej brzuch, liżę jej pępek. Głaszczę po włosach. Schodzę niżej, chcę poczuć smak jej cudownej cipki. Mógłbym to robić godzinami. Jest taka cudowna, taka dojrzała. I zawsze, jak dochodzi, gdy ją liżę, puszcza z siebie najcudowniejsze soki! I tym razem nie było inaczej. Kiedy dochodzi po tym, jak ją lizałem, wślizguję się w nią. Jest tak cudownie mokra, nie to, co dzisiaj Felicja. Kochamy się bardzo namiętnie i, mimo że nie tak dawno uprawiałem seks z Felicją, kończę bardzo szybko. Musiałem bardzo się powstrzymywać, by nie skończyć jeszcze szybciej. Leżymy obok siebie bez słów, trzymając się tylko za ręce, gdy nagle słyszymy klucz w drzwiach.

— Co to? — Mam nadzieję, że Sylwia nie powie, że to Paweł.

— Boże! Paweł? — Sylwia zakrywa nas kołdrą.

— Niemożliwe!

— Paweł! — krzyczy Sylwia.

A jednak. W tej chwili do sypialni wchodzi Paweł i zapala światło. Mój Boże, to chyba jakiś koszmar! Scena jak, kurwa, z jakiegoś tandetnego filmu! To nie może się zdarzyć! Nie wierzę w to! Jakby wszystko działo się poza mną. Widzę ironiczną minę Pawła. Gdzieś w tle słyszę płacz Sylwii. Sam dygoczę na całym ciele i czuję się trochę jak w ukrytej kamerze. Przecież miał wrócić dopiero za dwa dni! Sami uzgadnialiśmy jego grafik!

— Nie rozumiem, Sylwia, po co te łzy? — pierwszy odezwał się Paweł. — Od dłuższego czasu podejrzewałem, że puszczasz się na boku, ale, do chuja, nie sądziłem, że z moim najlepszym kumplem. I naszym wspólnikiem. I w naszym łóżku.

Kurwa! Co za koszmar! Boże, jak do tego doszło? Co ja mam zrobić? Wstać i wyjść? Ale jestem nagi... Muszę coś powiedzieć. Tak, zdecydowanie. Muszę się odezwać.

— Paweł, ja ją kocham. Naprawdę. Naprawdę się kochamy.

— To widzę, że się kochacie. A raczej rżniecie.

— To nie jest tak...

— A jak jest, Marek? Hmm? Pieprzysz moją żonę i to w moim łóżku. Jak, według ciebie, to jest?

— To pierwszy raz... — wykrztusiła przez łzy Sylwia.

— Chcesz, bym uwierzył, że pierwszy raz się rżniecie? Wiem od dawna, że jest ktoś inny.

— Nieee, pie-rwszy r-az tu, w mie-szka-niu. — Sylwia łka jak małe dziecko. Ledwie może wykrztusić z siebie słowa.

— Oj, to naprawdę mnie pocieszyłaś, Sylwia! Chyba muszę więc przeprosić, że zakłóciłem wasz pierwszy raz w naszym mieszkaniu?!

— Paweł… — Sylwia mówi to tak cicho, że ledwie ją słyszę.

— Zrobimy teraz tak. Ty — Paweł wskazał na mnie. — wypierdalasz stąd w tej sekundzie. I nie waż brać się żadnych swoich ciuchów. Możesz wziąć tylko portfel i kluczyki do auta. A z tobą — Wskazał na Sylwię. — to ja już za chwilkę sobie porozmawiam.

Byłem w takim szoku, że nie wiedziałem, co robić. Więc wstałem nagi, jeszcze z półwzwodem, na który Paweł patrzył z całkowitą pogardą. Jak posłuszny pies wyciągnąłem swój portfel ze spodni i kluczyki do auta. Rozejrzałem się, by chociaż poszukać swoich bokserek, ale Paweł złapał mnie za rękę.

— Żadnych, kurwa, ciuchów, ty chuju i zdrajco. Bierzesz tylko portfel i kluczyki. I znaj, skurwysynie, moją dobroć, bo mogłem cię wypierdolić bez niczego! I nie bierz czasem, chuju, swojego, kurwa, telefonu. To będzie najlepszy dowód na mojej sprawie rozwodowej.

— Paweł… to nie jest tak, jak myślisz. — Tylko te słowa przyszły mi teraz na myśl. Kurwa. Ale banał.

— No już, kurwa, bardziej nie mogłeś siebie dobić. A jak to jest, Marek? Wytłumacz mi, dlaczego po powrocie zastaję w MOIM łóżku MOJĄ żonę, którą rżnie MÓJ najlepszy przyjaciel? Hmm? Dlaczego to nie jest tak, jak myślę? Chyba że to wszystko sobie właśnie wyśniłem. Albo, kurwa, to jest pieprzony matrix!

— Bo ja ją kocham.

— Już to, skurwysynie, mówiłeś.

— Paweł, proszę... Marek, idź już — Sylwia patrzy na mnie takim wzrokiem, że omal nie pękło mi serce.

— Jesteś pewna? — Nie wiem, jak mam się zachować. Zostawić ją tu czy nie... To wszystko się dzieje jakby obok mnie, poza moją świadomością. Myślałem, że tylko na filmach kochankowie zostają przyłapani *in flagranti*.

— O... jaka romantyczna historia. Jak miło, że tak się martwisz o Sylwię. Nie martw się, nie zabiję jej.

— Paweł... po prostu porozmawiajmy na spokojnie. — Próbowałem jakoś załagodzić sytuację.

— Może ja na spokojnie zerżnę tę twoją śliczną Felicję i będziemy kwita, hmm? Ciekawe, co ona powie na twój skok w bok?

— Paweł! Dość! Marek, idź już. Muszę porozmawiać z mężem.

Nie ma wyjścia. Idę nagi, trzymając tylko w jednej ręce portfel i kluczyki do auta. Drugą ręką zasłaniam swoje klejnoty. Co za noc! Jak ja wyjdę stąd w takim stanie? Nago... I gdzie? Do hotelu? Do sklepu po inne ciuchy? Do Felicji? Kurwa, to najgorsza noc w moim życiu!

— I jeszcze jedna sprawa. — Paweł złapał mnie za ramię, gdy chciałem już wyjść z sypialni. — Daj mi, kurwa, sto złotych!

— Co? — Totalnie zgłupiałem.

— Sto złotych. Masz, kurwa?

— Nie rozumiem… — W co on, kurwa, gra? O co mu chodzi? Zwariował czy co?

— Sto jebanych złotych. Taki banknot, chuju. A jak nie masz, może być pięćdziesiąt albo dwieście.

— Ale po co ci? — To chyba jest naprawdę pieprzony matrix.

— Czy ja zapytałem cię, po co ruchasz moją żonę? Nie pytaj się głupio, tylko sprawdź, czy masz, i dawaj!

Zaglądam do portfela. Dwa banknoty po dwadzieścia złotych i sto euro. Jeszcze z Włoch.

— Mam tylko sto euro.

— Może, kurwa, być! Nawet lepiej! Dawaj!

Wyciągam z portfela sto euro i daję je Pawłowi. Już nic z tego nie rozumiem. I nie wiem, czy mogę tu tak zostawić Sylwię z tym wariatem, ale ona chyba naprawdę chce teraz z nim porozmawiać. Sama… Naprawdę nie wiem, co mam zrobić. Czuję się jak jakieś pieprzone bezradne dziecko.

— Co tu, kurwa, jeszcze robisz? Wypierdalaj!

Mina Pawła mówi wszystko. Skrępowany, nagi i dalej nic nie rozumiejąc z tego, co się tutaj dzieje, a już zwłaszcza o co mu chodziło z tą kasą, idę w kierunku drzwi. Słyszę tylko płacz Sylwii i czuję niesamowite zażenowanie. Czuję się jak szmata. Jestem nagi, upokorzony i zostałem sam. Ta noc miała wyglądać zupełnie inaczej... Z drugiej strony nie chcę tu dłużej być. Chcę uciec stąd jak najdalej.

ROZDZIAŁ 5

SYLWIA

Rżnęłaś się z nim bez gumy? — Wzrok Pawła był pełen nienawiści. A w jego głosie słyszałam tylko pogardę.

— Paweł…

— To będzie tak — ja cię pytam, a ty mi odpowiadasz. I mów, kurwa, prawdę, bo jak nie, to chyba cię zabiję. A później siebie. Zrozumiałaś?

— Tak. — Czuję, jak zaczynam się trząść. Łzy same spływają mi po policzkach…

— Więc rżnęłaś się z nim bez gumy, tak?

— Tak — mówię tak cicho, że sama siebie ledwo słyszę.

— Pięknie, naprawdę pięknie. Jakbyś była w ciąży, to byłoby naprawdę cudownie.

— Paweł…

— Nie przerywaj mi. Jak długo to trwa?

— Nie liczyłam…

— Jak długo, Sylwia?

— Dwa lata prawie…

— Kurwa… — Wyraźnie posmutniał. Jestem złą kobietą. Szmatą. Dziwką. Tak bardzo nienawidzę siebie w tej chwili!

— Jak to się zaczęło?

— Boże, Paweł, naprawdę chcesz wiedzieć?

— Jak to się zaczęło, Sylwia?

— Dwa lata temu, gdy byłeś w Amsterdamie na dwa tygodnie. Wtedy w maju lub w czerwcu.

— Nie pytam kiedy, ale jak.

— Byliśmy na kolacji z Kwiatkowskim i jego żoną. Ona źle się poczuła i wyszli po przystawkach. Zostaliśmy więc z Markiem sami i zamówiliśmy butelkę wina. Jedną, potem drugą i samo jakoś tak się stało.

— Gdzie to się stało?

— Jedliśmy w Marriotcie. Po kolacji wynajęliśmy pokój…

— I dobrze ci było?

— Paweł…

— Zdecydowałaś się kontynuować to przez kolejne dwa lata, więc chyba było ci dobrze?

— Chcieliśmy ci powiedzieć. Ale bałam się. Nie wiem, nie wiedziałam, jak ci powiedzieć.

— Kochasz go?

Nie odpowiem na to pytanie. Kurwa. Wiem, że to on jest tu ofiarą, ale, do cholery, przesadza!

— Kochasz go?

— Nie odpowiem na to pytanie.

— Kochasz go czy nie? To chyba prosta odpowiedź. Tak lub nie, Sylwia.

— Tak, kocham go... — Wybucham płaczem.

— W czym jest lepszy ode mnie? Hmm? W łóżku? Jest zabawniejszy? A może więcej zarabia? Nie, no zarabiamy tyle samo, w końcu jesteśmy wspólnikami. Może jest przystojniejszy? Albo ma większego chuja?

— Nie wiem. To się po prostu stało. Najpierw to był tylko seks, oderwanie od codzienności, głupi romans, który był urozmaiceniem rutyny. Nie planowałam się w nim zakochiwać.

— Ale czemu? Przecież znasz go od lat. Czemu tak nagle?

— Nie wiem, Paweł. Uwierz mi, gdybym mogła cofnąć czas... Tak bardzo mi przykro. Tak bardzo cię przepraszam. — Ukrywam twarz w dłoniach i wybucham kolejny raz płaczem. Łkam jak dziecko.

— Jesteś żałosna. Tyle są warte twoje łzy, ile twoja przysięga małżeńska.

Czuję, że dostałam czymś w głowę. Wyciągam twarz z dłoni, ale Pawła już nie ma w pokoju. Na pościeli obok mnie widzę jego obrączkę. Słyszę trzaśnięcie drzwiami.

Nie wiem, co mam ze sobą zrobić. Leżę ciągle w tej samej pozycji, a przez moją głowę przebiega tysiąc myśli i kłębi się milion pytań. Jak? Dlaczego? Kiedy? Po co? Z kim? I na co? Na co mi był ten romans? Nawet nie zdążyłam powiedzieć Pawłowi, że jego też kocham. Kocham ich obu. I nie wiem którego wybrać. No, do dzisiaj nie wiedziałam, bo teraz raczej już nie mam wyboru. Ale Paweł zawsze pozostanie moją pierwszą miłością. I był w końcu moim mężem. I byliśmy ze sobą przez kilka ładnych lat. I to były dobre lata. Boże… Co teraz będzie? Jak on to zniesie? Gdzie on teraz jest? I co z Markiem? Boże, to będzie fatalny rozwód. Rozwody prawników są zawsze najbardziej paskudne… Ma telefon Marka, więc już po mnie. I co dalej z kancelarią? Bo przecież nie będziemy dalej razem pracować. Nie ma takiej opcji. Co z jego klientami? Pewnie pójdą za nim… Cholera, to Paweł przyprowadzał najwięcej klientów do firmy! Nie wiem, jak to będzie… I biedny Marek, nagi… Jak on stąd wyszedł? Gdzie pojechał? Powinnam do niego zadzwonić, ale nie mam na to siły. Słyszę, że dzwoni mój telefon, który zostawiłam w kuchni, ale nie mam siły po niego pójść. Wiem, że to Marek. I wiem, że pewnie martwi się, czy Paweł czasem mnie nie zabił. Ale nie mam siły podnieść się z łóżka. Czuję, że jak wstanę, to chyba umrę. Leżę. I nie chcę się ruszać. Chcę zostać w tej pozycji na zawsze.

Z dziwnego półsnu, pełnego irracjonalnych koszmarów, budzi mnie uporczywe dzwonienie telefonu. Dzwonek za dzwonkiem. Za oknami powoli świta. Niesamowite, wydawało mi się, że minęło kilka minut odkąd Paweł wyszedł z mieszkania. A to były godziny. Chyba godziny. A może jednak minuty. Chyba wreszcie muszę wstać, Marek pewnie zamartwiał się przez całą noc. Powinnam zadzwonić do niego wcześniej, ale naprawdę nie miałam siły. Powoli podnoszę się z łóżka. Czuję się, jakbym była chora. Bolą mnie wszystkie mięśnie i rwą kości. Idę powoli do kuchni i podchodzę do blatu, gdzie leży komórka. Na wyświetlaczu sto siedemdziesiąt osiem nieodebranych połączeń. Telefon dzwoni znowu, to jednak nie Marek. Na wyświetlaczu pojawia się imię… Pawła.

— Tak? — Głos mi drży.

— Martwiłem się o ciebie. Długo nie odbierałaś. — Jego głos znów brzmi normalnie, jak kiedyś.

— Spałam.

— Aha. Dzwonię, bo przemyślałem sobie wszystko. Zanim coś powiem, najpierw odpowiedz mi, proszę, na jedno pytanie.

— Dobrze.

— Kochasz mnie jeszcze?

Zamurowało mnie.

— Oczywiście, że ciągle cię kocham. Kocham cię bardzo. — To nie było kłamstwo.

— Okej. Spotkajmy się dzisiaj, bo to nie jest rozmowa na telefon. W naszej ulubionej restauracji. Tej na Nowym Świecie. Zrobię rezerwację na siedemnastą. Co ty na to?

— Oczywiście. A nie możesz teraz przyjechać do domu i porozmawiać?

— Nie, muszę załatwić kilka spraw. To do siedemnastej.

— Dobrze. Będę.

Odłożył słuchawkę. Chce o nas walczyć? Czy skończyć to z klasą? Porozmawiać o rozwodzie? Boże, to takie ciężkie. Ale wiem, że musimy się spotkać. Trzeba coś zdecydować. To albo koniec, albo jakaś terapia małżeńska… Ale nie sądzę, aby Paweł chciał o nas walczyć… Tylko dlaczego pytał o to, czy dalej go kocham? Znów telefon. Tym razem to Marek.

— Sylwia? — Jego głos jest pełen ulgi i zarazem desperacji.

— Tak, to ja. Nie martw się. Żyję.

— Opowiadaj. Co mówił?

— Właściwie niewiele jest do opowiadania. — Idę do sypialni, aby założyć szlafrok, bo ciągle jestem

naga. — Wypytywał o wszystko. O nasz romans...
A potem wyszedł. I rzucił we mnie obrączką, mówiąc
coś w stylu, że moje łzy są tyle warte, ile nasza przysięga małżeńska.

— Jezu, co za chuj!

— Miał prawo się wściec, Marek. Przyłapał swoją
żonę na zdradzie ze swoim przyjacielem i wspólnikiem. I to w jego własnym łóżku.

— Wiem. Głupio mi strasznie, że tak wyszło. Mówiłem już dawno, że trzeba mu powiedzieć.

Znajduję szlafrok w rogu pokoju. Zakładam go.
Widzę porozrzucane rzeczy Marka. Zbieram je do
kupy. Coś wypada z jego spodni. Zapalniczka. Boże,
zabiłabym za papierosa. A rzuciłam prawie dziesięć
lat temu.

— Przepraszam, co mówiłeś? Trochę się zamy-
śliłam.

— Pytałem, co dalej. Co zamierzasz?

— On chce się spotkać. Dzwonił przed chwilą.

— Po co?

— Nie wiem, nie powiedział.

— Chodzi o rozwód?

— Nie wiem, Marek. Nie pytaj mnie. Powiedział,
że to nie rozmowa na telefon i żebyśmy się spotkali
o siedemnastej.

— Gdzie?

— Czy to ważne gdzie? W restauracji.

— Pytam gdzie, bo nie wiem, co mu chodzi po głowie. Dobrze, że w restauracji, bo tam są ludzie. On jakby wczoraj zwariował, kochanie. Nie mam pojęcia, o co mu chodziło z tym banknotem.

— Ja też nie, ale chyba w takich sytuacjach ludzie nie zachowują się racjonalnie. Nie sądzisz?

— Może, nie wiem. Ja też goły musiałem latać po ulicy.

— A właśnie, jak to się skończyło? No wiesz, z ubraniem…

— Na szczęście miałem torbę do squasha w samochodzie. I tam adidasy, jakąś koszulkę i spodenki. Ale i tak dziwnie na mnie patrzyli w hotelu.

— Cóż, na pewno dziwniej by patrzyli, gdybyś był goły.

— Sylwio… Co dalej? Chodzi mi o nas…

— Marek, daj mi troszkę czasu. Od wczoraj tak dużo się wydarzyło, że nie mogę zebrać myśli. Muszę to wszystko przemyśleć.

— Ale nad czym tu myśleć? Kochamy się. Paweł o nas wie. Felicja wie. W sumie wszystko ułożyło się tak, jak powinno. Kocham cię i nie chcę żyć bez ciebie ani dnia dłużej! Spotkaj się z nim, pogadaj o rozwodzie i wyjedźmy gdzieś. Paryż, Mediolan, Egipt, Dominikana, Malediwy. Tylko powiedz, maleńka, gdzie chcesz jechać, a jutro o tej porze będziemy już siedzieć w samolocie.

— Marek. To cudowna propozycja, ale jestem teraz całkowicie rozechwiana. Rozbita... Najpierw muszę załatwić do końca sprawę z Pawłem. Proszę cię, daj mi troszkę czasu.

— Okej, ale zadzwoń do mnie po spotkaniu. Pewnie chodzi mu o rozwód, ale zadzwoń, okej?

— Dobrze, zadzwonię po.

— Kocham cię.

— Pa, Marek.

Odłożyłam słuchawkę. Patrzę na telefon i widzę, że już piętnasta. Tak długo spałam? Nasi pracownicy są pewnie w ciężkim szoku. Nikogo nie ma dzisiaj w kancelarii. Chyba że jest Marek. Cholera, nie zapytałam go o to. Jak to musi wyglądać. Szefowa zostawiła jednego szefa dla drugiego. Ale będą sobie na nas używać. Może trzeba zamknąć kancelarię i otworzyć drugą? Tylko z Markiem. Chyba że Paweł chce ratować nasze małżeństwo... To co, otworzę chyba wtedy inną kancelarię z Pawłem? Jezu, czemu ja o tym teraz myślę? To w tej chwili nie jest najważniejsze. Nie mam za wiele czasu. Muszę się doprowadzić do porządku, a pewnie po wczorajszej nocy wyglądam tragicznie. Idę do łazienki i podchodzę do lustra. Tak, jak myślałam. Koszmar. Czerwone oczy i napuchnięte powieki. Usta wyschnięte. Pod nosem strasznie zaczerwienione. No nic. Szybko lecę do lodówki i robię okład z lodu. Zaparzam też herbatę. Okłady z herbaty zawsze pomagają. Dziesięć minut okładu z lodu i piętnaście minut okładu z torebek po herbacie i już wyglądam jak człowiek. Resztę zakryję makijażem. Szybki prysznic, suszę włosy, robię staranny makijaż i kładę troszkę więcej podkładu niż zwykle. I tadam! Nie ma śladu po wczorajszej nocy! Okej, w co by się tu ubrać? Co założyć, hmm... Jak jest na dworze? Raczej ciepło. Nie ma prawie żadnych chmur. Może sukienkę, którą Paweł kupił mi w Maroku na naszych ostatnich wakacjach? Tak, to jest dobry pomysł. Jest taka zwiewna i dziewczęca. O, i założę jego ulubione sandałki. Te czerwone z kokardą. Zawsze tak bardzo mu się podobały. Jeszcze tylko jego ulubione perfumy i jestem gotowa. Czas jest dobry. Piętnaście po czwartej. Czuję już, jak bardzo jestem głodna. Nic nie jadłam od wczoraj. Zamówię sobie moje ulubione maki nori z wędzonym łososiem, tuńczykiem i warzywami. I do tego moje czerwone wino. Tak, zdecydowanie na tym spotkaniu będzie mi potrzebne wino. Dużo wina. Dzwonię po taksówkę. Nie będę jechać swoim autem, jak chcę pić wino. Wychodzę z mieszkania i czuję, jak powoli zaczynam się denerwować. Wzięłam zapalniczkę Marka, bo muszę zapalić. To pomoże mi się nieco zrelaksować.

Gdy taksówka zatrzymuje się pod „Sense", czuję się jak w jakimś amoku. Przez całą drogę wpatrywałam się w szybę i ignorowałam taksówkarza, który próbował nawiązać rozmowę. Po wyjściu z domu zaczęłam się strasznie denerwować. Muszę zapalić. Teraz to już potrzeba wręcz fizyczna. I to po dziesięciu latach rzucenia tego świństwa.

— Dostanie pan dwadzieścia złotych napiwku, jeśli poczęstuje mnie pan papierosem. — Daję gościowi pięćdziesiąt złotych.

— Dałbym i bez napiwku. — Podaje mi papierosa.

— Dobra, dobra, reszty nie trzeba.

Wychodzę z taksówki i od razu odpalam papierosa zapalniczką Marka. Co za ulga. Już czuję się lepiej. Jestem spokojniejsza. Dziwna ta zapalniczka, co wypadła z kieszeni Marka. Ma napis PLAYERS, a z tyłu jest jakiś adres holenderskiej strony internetowej. Co za chory zbieg okoliczności. Marek zostawił w mieszkaniu zapalniczkę z Amsterdamu, gdy Paweł przyjechał z niego dwa dni wcześniej, niż powinien... I co ona tam w ogóle robiła? Przecież Marek nie pali. W przeciwieństwie do Pawła. I to mnie zawsze w nim irytowało. Smród papierosów. Co za paradoks. Teraz sama stoję i palę jakieś tanie fajki. Smakują ohydnie, ale przynoszą nieziemską ulgę! Za dziesięć piąta. Jestem przed czasem, ale dzięki temu mogę sobie wypić dla odwagi lampkę wina w oczekiwaniu na Pawła.

W restauracji kelner prowadzi mnie do stolika. To dziwne. Jest przygotowane dla czterech osób.

— Dlaczego są cztery nakrycia? — pytam zaskoczona.

— Pani mąż zarezerwował stolik dla czterech. Coś nie tak?

— Nie. Nie wiem. Sama już nie wiem.

— Mam je zabrać?

— Proszę na razie zostawić tak, jak jest.

O co tu chodzi? Kto jeszcze ma tu przyjść? Boże, chyba nie Marek? Ale przecież Marek by mi powiedział. O co tu chodzi? Przyjdzie ze swoim adwokatem czy co? O, kurwa, nie wierzę!

— Mamo? Tato? Co wy tu robicie?

— Cześć, kochanie, zadzwonił do nas Paweł i powiedział, że ma dla nas niespodziankę. I nic nie mieliśmy ci mówić. Był bardzo tajemniczy. — Rodzicie siadają przy stoliku.

— Czy chcielibyście coś nam powiedzieć? Dobrą nowinę? — Ojciec pogłaskał mnie po brzuchu.

— Co? Zadzwonił do was? — Ja chyba śnię! O co tu chodzi?!

— I był bardzo tajemniczy — podkreśliła mama z promiennym uśmiechem.

— Czyli co, jesteś w ciąży czy nie? Będę miał w końcu wnuka? — Ojciec jak zawsze szybko przechodzi do konkretów.

— Nie tato, nie jestem w ciąży.

— To planujecie? — Nie dawał za wygraną.

— Nie, nie planujemy mieć dziecka.

— Ale wyglądasz jakoś tak blado, moje dziecko. Prawda, Karolku, że wygląda blado?

— No wygląda blado. Mówię ci, ona jest w ciąży. Czeka tylko na Pawła, żeby nam o tym powiedzieć. Rozumiem, dziecko. Takie nowiny trzeba przekazywać razem.

— Tato, po raz kolejny mówię ci, że nie jestem w ciąży. Na razie nie planujemy mieć z Pawłem dzieci. A może i nigdy nie będziemy mieć. Właściwie jest coś, o czym chcę wam powiedzieć...

W tym momencie wkracza Paweł. Niesie z sobą zapakowany jakiś wielki obraz. Wita się z moim rodzicami, całując ich w policzek, i siada obok mnie. Jestem już naprawdę na granicy załamania nerwowego. O co tu, do diabła, chodzi?

— Dawno się nie widzieliśmy w rodzinnym gronie. — Paweł bierze menu i zachowuje się normalnie, jak gdyby nigdy nic. W co on, do cholery, gra?

— Ostatnim razem na twoich imieninach, Karolku. — Mama również wzięła menu.

— Fakt, chyba na moich imieninach. Ciągle podróżujesz. Ciągle cię nie ma, Paweł.

— To prawda, wczoraj wróciłem z Holandii.

— O, piękny kraj. Amsterdam?

— Tak.

— Piękny. Dobre piwo. Heineken jest chyba holenderski z tego, co pamiętam?

— Tak, tato. Owszem, to holenderskie piwo. —
Paweł uśmiecha się do ojca. Jest naprawdę w dobrym
humorze. Przeraża mnie to.

— I co tam ciekawego? Nowy klient?

— Same niespodzianki przyniósł ten wyjazd,
tato. — Paweł popatrzył się na mnie z ironicznym
uśmiechem. Kurwa…

— No to mów, co to za niespodzianka dla której tu
przyszliśmy? — Ojciec chyba ciągle wierzy, że chodzi
o wnuka…

Udaję, że przeglądam menu, a tak naprawdę nic
nie widzę, bo mam zamglony wzrok. Znów zbiera mi
się na płacz. Chcę stąd uciec. Zapaść się pod ziemię.
Po co on zaprosił moich rodziców? Co on chce przez
to osiągnąć? Co to ma być? Jakaś kara? Zemsta? Bo
naprawdę nie wiem, co o tym wszystkim myśleć. To
jakiś żart? Ukryta kamera?

— Proszę — Paweł podaje ojcu zapakowany obraz.

— Z Holandii? — Ojciec bierze prezent.

— Rozpakujcie. — Paweł ciągle się uśmiecha.

Ojciec podaje paczkę matce. Ona delikatnie ściąga kokardę i rozrywa papier. Patrzę na tę scenę jak
zahipnotyzowana. Udało mu się. Jeśli to jest zemsta, która ma sprawić, bym poczuła się jak ostatnia
szmata, ostatnia kurwa, to tak właśnie się teraz czuję.

Gorzej już chyba być nie może. NIE WIERZĘ! A jednak może być gorzej...

— Co to jest? — Ojciec nie kryje zdziwienia.

W pięknej ramie widać sto euro. Jestem pewna, że to jest to samo sto euro, które Marek wczoraj dał Pawłowi. Co za skurwiel!

— Co to jest? — powtórzył za ojcem Paweł. — A to są pierwsze pieniądze, które wasza ukochana córeczka zarobiła własną dupą.

Nie wytrzymałam. Wybuchnęłam płaczem. Popatrzyłam na Pawła i nie mogłam uwierzyć w to, co widzę. On się śmiał. Oszalał normalnie. Jego wzrok był pełen nienawiści i szaleństwa. I był też taki... pusty. Nie, nie zniosę tego dłużej. To jest jeszcze większy koszmar niż wczoraj. Muszę stąd uciec. Wstałam i jak w amoku wybiegłam z restauracji. Byle jak najdalej od tego miejsca. Byle jak najdalej od Pawła. Od wspomnień z tego spotkania. Biegnę przed siebie i całe szczęście, że założyłam płaskie sandałki, a nie szpilki. Bo mogę biec szybko. Oby jak najdalej stąd...

Nogi same zaprowadziły mnie do domu. Do naszego mieszkania. A może już tylko mojego? Albo tylko Pawła? Kto dostanie mieszkanie po rozwodzie? Cholera, muszę zadzwonić do Marka. W tej chwili wyjazd jest naprawdę najlepszym rozwiązaniem. Muszę uciec stąd jak najdalej. Malediwy. Tak. Malediwy.

Zawsze tam chciałam pojechać. Tylko się spakuję i już nigdy więcej tu nie wrócę. Nigdy więcej nie chcę widzieć tego psychopaty.

Wchodzę do mieszkania i nie mogę uwierzyć. Paweł siedzi na kanapie. O Boże, zaraz zwymiotuję! Mam stąd uciekać? Zostać? Rozmawiać z nim? Boże, jak ja w tej chwili go nienawidzę!

— Dlaczego wyszłaś tak nagle, kochanie? — Ciągle uśmiecha się jak jakiś wariat.

— Przepraszam cię. Wiem, że źle zrobiłam, ale naprawdę uważasz, że zasłużyłam na taką karę, jaką mi dziś zaserwowałeś? To, co zrobiłeś, było chore! — Znów zaczęłam płakać. Cholera! Muszę być twarda!

— Karę? Kochanie, uważasz to za karę? W krajach arabskich zginęłabyś za to przez ukamienowanie, a ty uważasz, że to była kara?

— Paweł... błagam cię. Daj mi odejść w spokoju.

— Chcesz spokoju? Naprawdę?

— Tak, spakuję się i odejdę. Bierz mieszkanie, samochody, kancelarię... Weź wszystko! Naprawdę wszystko mi jedno. Odegrałeś się, a teraz daj mi, proszę, święty spokój!

— A nie pomyślałaś nigdy, że ja też chcę spokoju? Kochającej żony? Takiej, która nie będzie mi się puszczać z najlepszym przyjacielem? Nie pomyślałaś nigdy o tym podczas swoich orgazmów z Mareczkiem?

— Paweł... — Stoję przy tych drzwiach jak wryta, kiedy on tak sobie spokojnie siedzi na tej kanapie z miną niewyrażającą absolutnie nic. Zero emocji.

— Mamy ognia, kochanie? Nie będzie ci chyba przeszkadzać, jak zapalę w naszym mieszkaniu. Wiem, że tego nie lubisz, ale ja też nie lubię, jak rżniesz się z innymi facetami w naszej sypialni. A nawet nie spytałaś mnie, czy możesz.

— Mam zapalniczkę. — Wyciągam ją z torebki i rzucam Pawłowi. Złapał i odpala nią papierosa.

— Dziękuję, skarbie. — Strzepuje popiół na dywan, który kosztował kilka tysięcy. — PLAYERS? Skąd moja żonka ma zapalniczkę z Amsterdamu? Przecież nie palisz, skarbie.

— Bo nie palę. Dobrze, Paweł. Zemściłeś się. Porozmawiajmy teraz spokojnie. Załatwmy to jak ludzie.

— Aaa... chodzi ci o rozwód?

— Tak.

— No obawiam się, że raczej ci tego nie ułatwię.

— Nie chcesz się rozwieść?

— Oczywiście, że chcę. Mieć za żonę taką szmatę to hańba dla mężczyzny.

— Ałć. — Już nawet nie wiem, czy pomyślałam to sobie tylko, czy powiedziałam to na głos. To jakiś koszmar. To nie może dziać się naprawdę.

Milczymy przez chwilę. Paweł pali tego swojego papierosa, ciągle strzepując popiół na dywan.

Strasznie mnie to irytuje, ale nic nie mówię. Stoję przy drzwiach, bo nawet nie wiem, gdzie mam usiąść. Bo na pewno nie koło niego. Chcę tylko jak najszybciej się spakować i pojechać do Marka. Podjęłam decyzję. Już dawno powinnam się rozwieść z Pawłem i wyjść za mąż za Marka. To tak oczywisty wybór, z którym za długo zwlekałam. Zwłaszcza biorąc pod uwagę, że przez kilka lat byłam żoną psychopaty, nawet o tym nie wiedząc. Paweł wreszcie gasi papierosa. Teraz dopiero zauważam, że pomiędzy jego nogami stoi jack daniels, do którego wrzucił kiepa. O Boże, czyżby wypił ponad połowę butelki w tak szybkim czasie? Boże, on jest pijany! Oczywiście, że jest pijany. Jezu, wstaje! Czego on chce? Po co do mnie podchodzi?!

— Kochasz mnie jeszcze? — pyta.

— Paweł, ty jesteś pijany!

— Powiedziałaś mi popołudniu, jak dzwoniłem, że mnie kochasz. To teraz pokaż mi, jak bardzo mnie kochasz! — Jest już przy mnie.

— Proszę cię, daj mi się spokojnie spakować! — prawie wrzeszczę.

— Pozwolę, ale najpierw pokażesz mi, jak bardzo jeszcze mnie kochasz! Przecież dzisiaj mówiłaś, że bardzo mnie kochasz. — Jego słowa coraz bardziej przypominają bełkot.

— Paweł, o co ci chodzi?

Nie musiałam czekać na odpowiedź nawet sekundy, bo rzucił się na mnie, próbując mnie pocałować.

— Paweł, nie!

Ale on już chyba mnie nie słyszy. Wiem co nastąpi. Wiem, co on chce mi zrobić. I wiem, że jest ode mnie silniejszy i nie mam żadnych szans na obronę. Mimo to próbuję go odepchnąć. Im bardziej zaczynam się szarpać, tym on staje się silniejszy. Łapie mnie za włosy.

— To boli, Paweł! Zostaw mnie! Puść!

— I będzie cię bolało, suko!

Przypiera mnie do drzwi i jedną ręką trzyma teraz moje ręce. Nie mogę się uwolnić... Nie mam na tyle siły... Drugą ręką ściąga mi majtki. Próbuję się bronić, ale wiem, że to nie ma sensu... Ściska moje piersi. Tak mocno... To tak boli... Łzy same spływają mi po policzku. Gwałtownie obraca mnie w kierunku drzwi. Czy jest sens wołania o pomoc? Rozrywa mi sukienkę. Jego prezent... Zdziera ze mnie stanik i uderzyła moją twarzą o drzwi. Boże, jak to boli! Czuję, że z nosa leci mi krew. Wiem, że za chwilę mnie zgwałci. Czuję w ustach smak krwi. Widzę czerwoną plamę na białych drzwiach. Boże, a jak on chce mnie zabić? A ja nic nie mogę zrobić... Nic, bo nie mam siły... Nic, bo wiem, że z nim nie wygram. Niech to zrobi i odejdzie na zawsze. Jeśli to ma być moja kara... Ałłłłłł!

O Boże! Wszedł w mój odbyt! Jezu, on chce mnie zgwałcić analnie! Boże! Jezu! Jak to boli!

— Ratunku! — wrzeszczę z całych sił! — Paweł, błagam cię! To boli! To tak strasznie boli!

Mimo moich krzyków ciągle pcha we mnie swojego członka. Z nosa leci mi krew, czuję, że zaczyna też krwawić mi odbyt, a Paweł jest coraz bardziej gwałtowny. Ból jest coraz silniejszy. Próbuję mu się wyrwać, ale jest zbyt silny. Co chwilę pociąga mnie za włosy, wyrywając przy tym chyba całą ich garść.

— Błagam! — wrzeszczę.

I wtedy znów uderza moją twarzą o drzwi. Tym razem tak silnie, że tracę przytomność.

ROZDZIAŁ 6

PAWEŁ

S traciła przytomność. Pierdolona suka. A miała poczuć to do samego końca. Miała poczuć ten ból, ten sam pieprzony ból, który ja czułem wczoraj. Ból fizyczny jest zresztą niczym w porównaniu do psychicznego. Kończę na jej twarzy, wpychając fiuta w jej usta. Niech poczuje smak mojej spermy, jak się ocknie. Trochę też chyba zostawiłem w jej dupie. W jej śmierdzącej, krwawiącej dupie. No i chyba wybiłem jej dwa zęby. Ma suka za swoje! Skończyłem. Pora się ewakuować z tego pieprzonego mieszkania! Myśli, że uwierzę, że jebała się tu z tym pieprzonym Mareczkiem tylko raz! Od dawna wiedziałem, że ma romans. I tylko czekałem, kiedy ją przyłapię na gorącym uczynku. To był mój plan. Kasa, kolacja z rodzicami, obraz. Długo myślałem nad zemstą doskonałą. I najlepszą zemstą jest zniszczyć taką sukę psychicznie. I udało mi się. Udało, kurwa.

Dobra, wsiadam do samochodu. Tylko gdzie mam teraz, kurwa, jechać? Na razie sobie na spokojnie zapalę. Aż dziwne, że ta kurwa miała przy sobie zapalniczkę. PLAYERS. Jezu, nawet nie zliczę, ile razy w tym klubie w Amsterdamie nawaliłem się do nieprzytomności... Nieważne zresztą. Ale się zemściłem! No, kurwa! To był mój plan od roku. Od roku czułem, że coś jest nie tak, że jest jakiś inny gość. Ale jak powiedziała mi, że od dwóch lat, to... no, kurwa, myślałem, że ją zabiję. I jego. Byłem aż tak ślepy?! Nieważne. Zaplanowałem to. Udało się perfekcyjnie. Zawsze miałem nadzieję, że przyłapię ją na gorącym uczynku. Bo tylko wtedy miałem plan. Plan zemsty. Wezmę od gościa sto złotych albo jakikolwiek banknot, a potem dam go w ramce jej starym. To był plan. Najlepszy... I tyle. Tylko, kurwa, nie widziałem, że to Marek, że ona bzyka się z Markiem. Bo jak to? O, skończył się papieros. Żar opadł mi na spodnie. Odpalam następnego. *Oh fuck*, chyba jednak jestem trochę pijany. Może nawet najebany? Ale należało się tej suce! Królowej Lodu! Nigdy nie chciała w dupę! No to teraz dostała! I to porządnie! Ale co ja mam teraz ze sobą zrobić? Gdzie mam jechać? Do hotelu? Przecież, kurwa, nie zasnę.

Jadę. Ruszam. Może po drodze coś przyjdzie mi do głowy. Pieprzę policję. Jestem za dobrym kierowcą i na pewno mnie nie złapią. Dobra, jadę. Jaka chujowa ta Warszawa. Nigdy nie lubiłem tego miasta. Jestem typowym Ślązakiem. Najlepsze studenckie czasy spędziłem w Katowicach, na Ligocie. W akademiku. Ups, czerwone światło. A chuj z nim! No, i mieliśmy na studiach zajebistą paczkę. I była tam taka śliczna dziewczyna z psychologii. Boże, jaki ja byłem w niej zakochany! Ale nie. Sylwia zagięła na mnie parol. I choć długo nic nie chciałem, to ona musiała mnie zdobyć. Chciała być ze mną. Po jednej imprezie po prostu sama wskoczyła mi do łóżka i stało się. A ta śliczna dziewczyna wyszła za mąż za najgorszego pijaka w całych akademikach. A ja wziąłem sobie za żonę najgorszą kurwę. Ja pierdolę, do chuja z takim życiem!

Nawet nie wiem, jak długo już tak jeżdżę. Może pół godziny, może z godzinę? Myślę o tym wszystkim i czuję, że chyba jeszcze muszę się napić. Tak, zatrzymam się w jakieś knajpie. O, tu coś się świeci. „Night Club". To, kurwa, nawet i lepiej!

Parkuję i z pewnym trudem wychodzę z samochodu. Na bramce zostawiam sto złotych. Kurwa, pamiętam czasy, jak za wejście buliło się dwie dychy. Jak to wszystko drożeje! W środku tradycyjnie — trzy rury, wielkie stoły i wypasiony bar. Dziewczynki siedzą, czekają na swój występ. Przy rurze na scenie wije się piękna Mulatka w samych stringach. Mimo że jestem pijany, robię się troszkę twardy. Podchodzę do baru i zamawiam whisky z red bullem. Mulatka tańczy przy *Rush, rush* Pauli Abdul. Kręci tak cudownie tą swoją seksowną i umięśnioną pupą, że to czysta poezja. W klubie siedzi jeszcze kilku biznesmenów w garniakach przy dużym stoliku, a przy drugim jakiś Japoniec albo to może Koreańczyk? Jeden chuj, nigdy ich i tak nie odróżniam. Odbieram moją whisky, płacę prawie osiem dych i siadam przy stoliku jak najbliżej ślicznej Mulatki. Uśmiecham się do niej. Złapaliśmy kontakt wzrokowy. Jest naprawdę młoda i śliczna. Góra dwadzieścia dwa lata. Skóra w kolorze mlecznej czekolady. Młoda Naomi Campbell. Nigdy nie byłem z żadną Mulatką. Ani Murzynką. Może pora naprawić ten błąd? Jak skończy taniec, to zamówię prywatny. Ciekawe, czy tu w ogóle tak można? Pewnie tak, ale podchodzę do barmana zapytać.

— Można tu zamówić prywatny taniec? — Opadam na krzesełko.

— Można. Jakiś konkret?

— Mulatka. Ta, co właśnie tańczyła.

— Naomi?

— No, oczywiście, jaką inną ksywę mogłaby mieć. — Śmieję się.

— Możesz też zaprosić ją do stolika.

— Tak?

— Tak. — Barman uśmiecha się obleśnie. — Ale jest jedna zasada. Musisz kupić jej drinka. Im droższego, tym dłużej będzie z tobą rozmawiać.

— A taniec prywatny?

— Jest, ale bez dotykania. Jedna próba macania i wylatujesz z lokalu.

— Okej, to jeszcze jedną whisky z colą i najdroższy drink dla Naomi. Można płacić kartą?

— Jasne, otworzę ci rachunek. Naomi przyniesie drinki.

Wracam do stolika i czekam na swoją śliczną czekoladkę. Obserwuję, co się dzieje w lokalu. Naomi już nie ma. Inna dziewczyna w rudej peruce tańczy przy jakimś kawałku, którego nie znam. Jakiś rap albo hip-hop. Coś młodzieżowego. Biznesmeni są już coraz bardziej pijani i siedzą z trzema dziewczynami ubranymi tylko w seksowną bieliznę. Wszyscy piją i ciągle się z czegoś śmieją. Do Japończyka właśnie dosiadły się dwie dziewczyny. Rozmawiają może tak z dwie minuty, po czym Japoniec wstaje i idzie do baru. Dziewczyny rechoczą i puszczają mu oczko. Widać, że Japoniec jest coraz bardziej podjarany. Z baru uśmiecha się do dziewczyn, po czym podchodzi do nich… z trzema kroplami beskidu w szklanych butel-kach. Dziewczyny, widząc to, od razu wstają i mijają go bez słowa. Barman wybucha śmiechem. Japoniec i tak ma to w dupie. Siada przy stoliku z tymi mineral-kami i gapi się teraz na rudą, jak tańczy. Azjaci. Co za, kurwa, dziwny naród. Z tych obserwacji wyrywa mnie cudownie słodki głos.

— Dzięki za drinka.

Naomi podaje mi moją whisky. Sama pije megako-lorowego drinka z owocami i palemkami. Boże, kosz-tował mnie chyba ze dwie stówy, ale było warto! Jak ona cudownie wygląda! Seksowny biały jedwabny szlafroczek rozchyla się jej na dekolcie i udach. I tak cudownie kontrastuje z jej ciemną skórą! Mam na tę dziewczynę ogromną ochotę. I właśnie zdałem sobie sprawę, że jestem wolny. Mogę robić, co chcę. Pieprzyć kogo chcę i gdzie chcę. Ta perspektywa naprawdę do-dała mi w tej chwili energii!

— Świetny taniec. — Upijam łyk. A do tego co za ciało! No, ale tego już jej przecież nie powiem.

— Dzięki!

— Nie, no profeska. — Gadam jak jakiś gówniarz! Zapomniałem już jak się flirtuje z kobietą!

— Aha. — Też upija łyk swojego drinka.

— Długo tu pracujesz?

— Ponad rok.

— Fajnie.

— Nie bardzo. Tak szczerze to dzięki temu opłacam sobie studia, samochód i kredyt na mieszkanie.

— *Wow!*

— Mówię ci to, bo wyglądasz na normalnego gościa, nie to co te chamy tam przy stoliku. Kretyni pieprzeni. — Pokazuje śmiejących się biznesmenów.

— A, ci. No tak, zero kultury. Buraki jakieś ze wsi do miasta przyjechały. — Próbuję udawać bardziej trzeźwego niż jestem.

— Tu trzeba uważać. Pełno dupków się kręci.

— No... — przytakuję. — A co studiujesz, jeśli mogę spytać? Prawo?

— Prawo? Nie, czemu? Studiuję na AWF-ie.

— A, oczywiście. Stąd taka piękna figura.

— Dzięki.

— Nie, bo myślałem, że jakbyś studiowała prawo, to może mógłbym ci jakiś staż załatwić. Mam swoją kancelarię.

— O, fajnie. No, ale chyba nie skorzystam. — Jezu, jak ta dziewczyna szybko pije! Zbankrutuję przez nią. To dlatego zamiast prywatnego tańca sugerują tu rozmowę. Naciągacze pieprzeni.

— Naomi to fajna ksywa.

— Czy ja wiem, szef nam je wymyśla. Są, oczywiście, też: Andżelika, Samanta czy Jolanta.

— No tak, jak w każdym tego typu klubie. To, Naomi, opowiedz coś jeszcze o sobie.

— Tańczę. Ale nie tylko tutaj. Jestem wicemistrzynią w Polski w stylu jazz dance.

— Gratuluję! Nie znam go, ale jestem pewien, że jest to nie lada osiągnięcie.

— Będę walczyć o mistrzostwo. — Dopija drinka do końca. — Słuchaj, super się gada, ale jeśli chcesz, bym tu z tobą jeszcze posiedziała, musisz mi kupić jeszcze jednego drinka. Przykro mi, ale tak to, niestety, tutaj działa. Takie są zasady.

— Rozumiem. — Kiwam na barmana i pokazuję mu, że jeszcze raz to samo dla Naomi.

— Zamówię ci nawet i trzeciego drinka, jak mi zdradzisz swoje prawdziwe imię.

— Nina. — Uśmiecha się zalotnie.

— Ładnie, a wiesz, że nawet pasuje do ciebie?

— Dzięki.

— To powiedz mi, Nino, co wy, biedne, robicie, jak ci wszyscy mężczyźni tracą dla was głowę? Hm? Bo pewnie co drugi tu się w którejś zakochuje.

— Fakt. — Zaczęła się śmiać. I to pierwsza szczera rzecz, jaką zrobiła, odkąd tu usiadła.

— Więc, na przykład, jak stąd wychodzicie, kiedy nie macie już ochrony tych wszystkich goryli?

— Na gwiazdę. — Dalej się szczerze śmieje.

— Na gwiazdę? — powtórzyłem, też się śmiejąc.

— No, okulary na oczy, chustka na głowę, dwie koleżanki pod ramię i tak zawsze wychodzimy.

— Nie boicie się?

— Nie. Poza tym, bardzo często przychodzi po mnie mój chłopak.

— Masz chłopaka?

— Tak. To takie dziwne? — Znów zrobiła się sztywna i niedostępna.

— Nie, no w sumie nie.

— No tak, striptizerka nie powinna mieć faceta. Bo to prawie jak prostytutka, tak? A to zawód taki jak inne. Ja kocham taniec. I tu mogę tańczyć, nie? A że muszę się rozbierać? No cóż, trudno. Ale za to stać mnie na wszystko, nie muszę się martwić, jak inne koleżanki ze studiów, czy pójść do kina, czy na obiad. Pójść na piwo czy mieć pieniądze na śniadanie. Nie mam takich dylematów.

— Nie to chciałem powiedzieć. Nie chciałem cię obrazić.

Skąpo ubrana kelnerka przynosi Ninie drinka.

— Dzięki. — Uśmiecha się do koleżanki, która podaje jej szklankę, ale ciągle wygląda na lekko obrażoną.

— Nigdy nawet przez sekundę nie pomyślałem, że striptizerka to to samo co prostytutka. Naprawdę nie chciałem cię obrazić, przepraszam. Po prostu wiem, jacy my, faceci, jesteśmy. — Próbuję się ratować.

— No jacy? — Znów zaczyna szybko pić.

— Zazdrośni. Zwłaszcza mając tak piękną kobietę jak ty.

Bingo! I znów na jej twarzy zagościł uśmiech.

— No, jest zazdrosny ten mój Dominik, i to strasznie. Nie chciał na początku, żebym tu pracowała. Mieliśmy stale o to awantury. Ale kasa szybko rekompensuje pewne rzeczy.

— Fakt. Pieniądze bywają kuszące.

— Ale dość o mnie. Jesteś prawnikiem, tak?

— Tak.

— Jakimś konkretnym? Od rozwodów? Albo jakichś morderców?

— Trafiłaś. Głównie prawo rodzinne, a więc rozwody.

— Możesz opowiedzieć o jakimś ciekawym kliencie? Czasami niektóre rozwody to musi być megamasakra, co?

— Jest masakra. Fakt. Teraz nawet zakończył się paskudny rozwód mojego klienta z Holandii.

— Z Holandii?

— Tak, bo znam się też na prawie holenderskim. I znam ten język. On akurat chciał takiego prawnika, co zna się i na polskim, i na ich prawie, bo jego żona, już była żona, jest Polką.

— Aaa, a co w tym takiego fascynującego?

— No, historia jak z bajki. Idzie ulicą i widzi dziewczynę. Ten mój klient, oczywiście, idzie ulicą. Bogaty, szczęśliwy, przystojny, wysportowany. No, ideał faceta, który ma wszystko. I widzi taką, no ładną, ale nie tam zaraz żadną piękność, dziewczynę. Do ciebie to nawet się nie umywa.

— Dzięki. — Znów uśmiecha się zalotnie.

— No, i on się zakochuje w niej od pierwszego wejrzenia. No piorun w niego walnął! Tak z hukiem! Jak w tanich romansach czy jakichś filmach. A dziewczyna? Prosta, przeciętna, ledwo dukająca po angielsku, ze wsi, po technikum, z megapatologicznej rodziny. No, po prostu trafiło się ślepej kurze ziarno! Ale facet nic, klapki na oczach i tylko — Ewa, Ewcia, Ewunia. A ona nic. Zero. On do niej przylatuje co weekend, a ona nic. W ogóle go nie traktuje jak faceta, z którym mogłaby być, tylko jak zwykłego znajomego.

— Głupia czy co?

— No wiesz. Nie pije, nie bije, to gdzie tu miłość? To taka dziewczyna z naprawdę ciężkiej patologii.

— Ale się złamała?

— Tak, po prostu ten mój klient był cierpliwy i wreszcie po roku ją zdobył. Wyprawił wielkie wesele w Amsterdamie, na którym też byłem. Wcześniej moja kancelaria załatwiała mu inne sprawy, więc pojechaliśmy na ten ślub ze wspólnikami. A jaki był piękny! Całkiem inny niż nasze, w Polsce.

— Czym się różni taki ślub od polskiego? Jak w ogóle wygląda ślub w Holandii? Wszyscy palą trawkę czy jak?

— Nie, oczywiście, że nie. — Śmieję się. — Najpierw była ceremonia. Taki odpowiednik naszego cywilnego. W przepięknej sali z pięknymi malowidłami na ścianie. Podczas ceremonii przemawiają świadkowie i państwo młodzi. Mój klient przemawiał i po holendersku, i po polsku. I to były tak piękne słowa, tak prawdziwe i pełne miłości. Nawet ja się wzruszyłem. Naprawdę widać, że kochał tę prostą dziewuchę nad życie. A ona wybełkotała trzy zdania po angielsku. I on się z tego cieszył jak dziecko. Miłość naprawdę bywa ślepa.

— Fakt, ślepa jak cholera. — Naomi czy tam Nina, zaczęła już pić wolniej. Chyba ją zainteresowała moja historia.

— Po ceremonii poszliśmy kilka ulic dalej na takie, jakby to nazwać, przyjęcie. Ale to nie było takie *stricte* wesele jeszcze. Był szampan, lody, małe przystawki. Przy wejściu każdy dostawał balony z helem i jak wchodziło się do sali, to było tak czerwono-biało. A, bo na wesela w Holandii dostaje się zaproszenie z dress code'em, czyli w co kto ma się ubrać. Panie na pierwszą część miały ubrać się w jakieś czerwono- -białe kreacje. To miał być taki polski akcent. Miały też założyć kapelusz albo wpiąć we włosy kwiaty.

Panowie, wiadomo, garnitury. No, ale to na pierwszą część imprezy. No, i fajnie to wyglądało, jak kobiety ubrane w te biało-czerwone kreacje stały z tymi balonami w tych samych kolorach. O, i jeszcze jak państwo młodzi wyszli po ceremonii zaślubin, każdy z gości dostał ten, no... taki sprzęt do puszczania baniek mydlanych. Jak wychodzili już jako świeżo upieczeni małżonkowie, wszyscy puszczali bańki. Naprawdę wyglądało to bajkowo.

— Jak tak słucham, to naprawdę myślę, że mieli ślub jak z bajki. No, ale po co te balony?

— Ano właśnie. Na tym przyjęciu po ceremonii każdy dostał balon i miał przyczepić go do nadgarstka czy po prostu trzymać. Chodziło o to, że to państwo młodzi podchodzili sami do każdego, aby odebrać gratulacje i życzenia. Jak już się im pogratulowało i pogadało chwilę, to ten balon się po prostu wypuszczało. Na koniec był w nich cały sufit!

— Fajny pomysł! Ale to co, do jedzenia tylko przekąski dali?

— Tak, przekąski i szampana, no, i piwo tradycyjnie, jak to w Holandii. Też cola i takie tam inne napoje.

— A obiad?

— W Holandii jest inaczej. Na obiad idą tylko państwo młodzi z najbliższą rodziną do restauracji. Reszta, no, to we własnym zakresie musi sobie radzić.

— No, dziwne. — Naomi upiła mały łyk.

— Czy dziwne? No, inne. A potem o dwudziestej pierwszej była impreza. To w sumie taka nasza dyskoteka. I też przystawki. Ostrygi i frytki. I głównie wino i piwo do picia. I szampan. Nie grała żadna orkiestra, ale profesjonalny didżej w asyście saksofonistki. A, i impreza była tematyczna i też wymagała odpowiedniego stroju.

— Jakiego?

— Dress code'em było „California dreams". Czyli zwiewne sukienki i hawajskie kwiaty na szyję, które dostał każdy z gości. Bo później, na miesiąc miodowy polecieli właśnie do Kalifornii.

— Fajnie. Naprawdę piękne wesele. Dla takiej dziewczyny… No i co się stało? Dlaczego się rozwiedli?

— No tak, o to się pytałaś. Ślub jak z bajki. Życie po nim też sielankowe. Dziewczyna nie musiała pracować, miała męża, który dawał jej wszystko. Rozpieszczał ją na każdym kroku. No żyć, nie umierać.

— To co, za nudne dla niej się to stało? No, jeśli była z patologicznej rodziny, to pewnie w niezłym szoku musiała być. Nawet zwykła dziewczyna byłaby w szoku.

— No tak, gdyby to była nuda. Może jeszcze bym zrozumiał. Ale ona okazała się naprawdę niegłupia. Wcale nie była szarą myszką u boku bogatego męża. Naprawdę zaczęła dbać o siebie. Zaczęła chodzić do najlepszego fryzjera, codziennie na fitness, do dietetyka, aby dobrał jej dietę. Nawet poszła do pieprzonego stylisty, aby pomógł jej zmienić garderobę. Mój klient, oczywiście, bez mrugnięcia okiem za to wszystko płacił. Mówię ci, piękna Nino, jak ją zobaczyłem rok później, nie mogłem uwierzyć, że to ona. Dziewczyna zapisała się też na holenderski i angielski. Nawet na pieprzone studia poszła. Wyglądała, mówiła i zachowywała się jak zupełnie inna osoba. Ze skromnej, cichej, przeciętnej, prostej dziewuchy, takiej typowej szarej myszki, zmieniła się w seksbombę, pewną siebie przepiękną kobietę, mającą maniery panienki ze szlachty. No, nie do uwierzenia!

— W sumie to nic dziwnego. Miała pieniądze, to z nich korzystała. Co innego miała robić, jak nie musiała pracować?

— No tak, ale że aż taka zmiana?! To były dwie różne osoby. Naprawdę. Mój klient chodził dumny jak paw. Kochał ją bezgranicznie od pierwszego wejrzenia, ale po tej metamorfozie do końca stracił głowę.

— Przepraszam, że ci przerwę, ale wcale się nie dziwię, że tak na początku stracił dla niej głowę i za nią szalał. Faceci zawsze świrują za kobietami, których nie mogą mieć. A jak wreszcie je zdobywają, to świrują jeszcze bardziej. Wiedziała dziewucha, co robi. Może od początku grała taką prostą i trudną do zdobycia?

— Może. Tego się już nie dowiemy. Ale wracając do historii. Więc wiodą sobie swoją sielankę tak jeszcze dwa lata, aż pewnego dnia on przychodzi z pracy, a ona ze spakowanymi walizkami mówi mu, że to koniec.

— Podpisali intercyzę?

— Tak, oczywiście. Sam ją na nim właściwie wymusiłem, bo facet był tak zakochany, że ożeniłby się z nią i bez intercyzy.

— To czemu chciała się rozstać? Czekaj, skoro on był taki dobry, pewnie zakochała się w jakimś skurwysynu?

— Gorzej, w jego najlepszym przyjacielu. — I wypowiadając te słowa, wróciło do mnie to wszystko, co stało się wczoraj i w ciągu ostatnich kilku godzin...

— Dlaczego posmutniałeś? Wszystko okej?

— Tak. — Próbuję się zebrać do kupy. Nie po to tu przyszedłem, żeby teraz o tym myśleć! Ale to dziwne, że właśnie opowiadam jej akurat o tej sprawie... Akurat tę historię... Kurwa, no! Rozmawiam ze śliczną Mulatką, co kosztuje mnie więcej niż godzina u najlepszego psychoterapeuty, więc skup się Paweł, skup! I nie myśl już o tej pieprzonej dziwce. Dostała za swoje. Nie myśl już o niej!

— Naprawdę w porządku?

— Już tak. Nieważne. Przypomniało mi się coś, o czym nie chcę teraz myśleć.

— To co z tym twoim klientem? Co zrobił?

— Dał jej rozwód. Ona nie chciała żadnych jego pieniędzy. Niby wszystko poszło gładko. Mój klient był bardzo bogaty, ale ten jego przyjaciel... To taki Donald Trump Holandii. A raczej jego ojciec. No, ale jako jedynak będzie wszystko dziedziczyć.

— Czyli kupa kasy.

— Taa... A wiesz, co powiedziała mu jako wytłumaczenie? Tak już na koniec, po rozprawie?

— Co?

— To były jej ostatnie słowa. Powiedziała: „Zawsze chciałam mieszkać w Nowym Jorku. Przepraszam".

— A co to ma wspólnego z tym wszystkim? — Nina znów upiła mały łyk.

— Ano tyle, że facet ma wypasiony penthouse na Upper East Side z widokiem na Central Park.

— *Wow*, brzmi nieźle.

— I kosztuje ta chata jakieś kilka milionów dolarów. W ten sposób od samego zera, od kompletnej polskiej patologii, trafiła do amerykańskiej socjety. Na sam szczyt pieprzonej drabiny społecznej...

— Ja też mam fajną historię. Z tego cyklu.

— Dajesz. — Cholera, chce mi się palić. Ale nie chcę wychodzić na dwór i zostawiać tu Niny. Dam radę. Wytrzymam bez fajek.

— To historia jednej dziewczyny, która tu właśnie pracuje. Jest tu chyba najstarsza, bo ma ponad trzydzieści lat. Niby to niedużo, ale tu prawie wszystkie jesteśmy same studentki. I ona ponoć kiedyś była prostytutką. Nie wiem ile w tym prawdy. Niektórzy mówią, że dalej nią jest, ale nieważne. I ona uciekła od męża. Wszyscy myśleliśmy, że ją bił albo to był jakiś przestępca, ale nie. Okazało się, że to jakiś jej bogaty klient. No, ogromnie bogaty, który ją wyciągnął z burdelu. Dał wszystko. Mieli piękny wielki dom, samochód, jeździli na ekskluzywne wakacje. Nawet urodził im się syn. A ona po prostu pewnego dnia zostawiła ten dom, tego męża, a nawet syna, i uciekła. Wróciła do starego życia. Jak to rozumieć?

— Nasza kancelaria współpracuje z jednym detektywem. Byłem kiedyś z nim na drinku i opowiadał co nieco o swoich klientach. I właśnie mówił, że wielu, naprawdę bardzo, bardzo wielu bogatych facetów wiąże się z byłymi lub obecnymi prostytutkami. Bo te dziewczyny są naprawdę bardzo ładne, lubią seks i wcale nie są głupie. Co jednak nie znaczy, że ich byłe zajęcie nie zostawia gdzieś tam śladu w ich psychice. To, co je w tym kręci i uzależnia, to chyba takie życie na granicy, mam wrażenie. Może dlatego niektóre chcą do niego wrócić? Nie potrafią z tym, ot tak, zerwać. Z takim życiem na krawędzi. Wiesz, adrenalina.

— Nie wyobrażam sobie uprawiać seksu za pieniądze. — Naomi dopiła drinka.

— Myślę, że wszystko jest kwestią ceny. — Też dopiłem swoją whisky.

— Nie.

— Nie? A gdybym ci zaoferował pięć tysięcy, a ty byś ich potrzebowała?

— Też nie.

— Dziesięć.

— Dalej odpowiedź brzmi: „nie".

— Piętnaście?

— Nawet milion. — Zaśmiała się.

— A gdybym mówił poważnie i zaoferował ci dwadzieścia tysięcy złotych. Zgodziłabyś się?

— Mówisz poważnie? Bo już nie wiem, czy mam wołać ochronę.

— Poważnie. Robię ci przelew przy tobie na twoje konto. Dwadzieścia tysięcy. Pomyśl. Jedna noc. I jaka krótka. Bo która jest już godzina? Trzecia?

— Nie, no nie wierzę.

— Zastanów się. Do której pracujesz?

— Do trzeciej. Czyli za trzydzieści pięć minut kończę.

— Daj mi znać za pięć trzecia. Masz pół godziny by się zastanowić.

— Ale dlaczego? Czemu ja? Skąd w ogóle taka propozycja?

— Naprawdę chcesz wiedzieć?

— Oczywiście. — Widać, że naprawdę to rozważa. Kobiety! Dziwki! Jeśli o nie chodzi, wszystko jest kwestią ceny. Kwestią pieprzonych pieniędzy.

— Wczoraj w nocy przyłapałem swoją żonę na zdradzie z moim najlepszym przyjacielem. Moje małżeństwo się skończyło. W tej samej chwili rozpadła się moja firma, bo z żoną i tym mężczyzną byliśmy wspólnikami. Nigdy nie zdradziłem żony, a jesteśmy... byliśmy właściwie ze sobą bardzo długo, bo od studiów. I ty mi się bardzo podobasz. Podniecasz mnie, jesteś młoda i masz cudowne ciało. A do tego te twoje ruchy! Boże! Mam pieniądze. Mam mnóstwo pieniędzy. Fakt, może jestem trochę pijany, ale bardzo cię pragnę. I wiem, że tylko w taki sposób mogę cię mieć. Zapłacę. Stać mnie. Proszę cię, tylko się zastanów. Oferta jest ważna tylko dzisiaj.

Siedzimy chwilę w milczeniu.

— Dobrze. Dam ci odpowiedź za pół godziny.

— Będę tu czekać.

Naomi wstała i poszła do baru. Stamtąd kiwnęli na nią biznesmeni i dosiadła się do ich stolika. Pokazałem Naomi papierosa i drzwi. Muszę iść zapalić. Muszę wyjść na chwilę z tego miejsca. Na zewnątrz jest zimno. Bramkarz wysępił ode mnie jedną fajkę. Stoimy tak chwilę bez słów, a ja się zastanawiam, czy dobrze robię. W końcu to dwadzieścia tysięcy złotych. Ale z drugiej strony mam naprawdę wielką ochotę to zrobić. Wydać na coś bez sensu kupę kasy. Właściwie nie tak do końca bez sensu. Dziewczyna jest piękna, młoda. Jest też niesamowicie seksowna i ma piękne ciało. Musi być świetna w łóżku. Z tego zamyślenia wyrywa mnie głos bramkarza.

— Pytałem, stary, co cię do nas sprowadza, bo pierwszy raz cię tu widzę. Nie jesteś z Warszawy, nie?

— Z Katowic.

— Aha. Ale blachy masz warszawskie. — Zaciągnął się mocno.

— Słucham?

— Blachy. Auto masz na warszawskich tablicach, no. — Splunął. Typowy łysy kark bez mózgu.

— Ano mam.

— Spoko. Nie musisz się bać. Wiesz, tu sto procent animowości. Wiesz jak jest. Musimy dbać o renomę. Nawet widziałem tu kilku sławnych aktorów, ale ciii... — Przykłada palec wskazujący do ust. — Tu jest pełna profeska. *Full* dyskrecja. Dbamy o naszą reputację, wiesz?

— Aha. Anonimowości mówisz? — Jakoś nie chcę mi się ciągnąć tej rozmowy. — Ale tu zimno, brrr... Wracam do środka.

— A poczęstujesz mnie jeszcze jednym szlugiem?

— Jasne. — Wyciągam paczkę i bierze papierosa.

— Dzięki, stary. W razie problemów w środku powołaj się na Artura. Artur to ja.

— Okej. Powołam się na pewno.

Wracam do środka i siadam do stolika. Naomi już nie siedzi z tymi palantami. Właściwie to nigdzie jej tu nie widzę. Poszła do domu? O nie! Teraz jeszcze bardziej jej pragnę i jestem w stanie jeszcze więcej zapłacić. O, ufff... Wychodzi z toalety i podchodzi do mnie. Uśmiecha się i przechodzi obok, zostawiając na oparciu kanapy chusteczkę. Szybko chowam ją do kieszeni i idę do toalety, by przeczytać.

„25 000 złotych. Jak się zgadzasz, to będę przy McDonaldzie koło metra Świętokrzyska za pół godziny".

James Bond normalnie jakiś. Cała ta sytuacja coraz bardziej mnie podnieca. Wie dziewczyna, jak zagęścić temperaturę. Jak to podkręcić. To mi się podoba. Dwadzieścia pięć tysięcy za numerek? Proszę bardzo! O swoją dupę trzeba się potargować. Pięć wte czy wewte nie robi mi żadnej różnicy. Idę do baru uregulować rachunek. Wyszło prawie pięćset złotych. Kurwa, ile kosztował ten jej drink? *Fuck*. Nieważne, pierdolę to, bo zaraz sobie porządnie porucham.

Wychodzę z lokalu, po drodze mijam znudzonego Artura dłubiącego w nosie. Nigdy nie zrozumiem po co coś takiego żyje. Natura powinna eliminować tego typu jednostki. Wsiadam do samochodu i myślę nad planem. Mam jeszcze niecałe pół godziny. Na Marszałkowskiej o tej porze to będę za dziesięć minut.

Dobra, czy mam wszystko? Kondomy. Muszę kupić kondomy. Dobra, gdzie jest apteka albo jakieś Tesco czy coś w tym stylu czynne całą dobę? Tesco Kabaty, ale to trochę daleko. Na Marszałkowskiej jest jakaś apteka całodobowa, tam gdzie jest ta knajpa „Charlotte, Chleb i Wino" czy jakoś tak. Dobra, to tam pojadę.

Kupuję prezerwatywy u jakieś znudzonej sprzedawczyni. Patrzę na zegarek, około dziesięć minut do spotkania. Jadę pod McDonalda. Parkuję w pobliżu i wychodzę z samochodu. Jest zimno. Tak mi się przynajmniej wydaje. Czuję, że jestem pijany, więc trudno mi trochę ocenić temperaturę. Na ulicy pustki, obok tylko jeszcze jakieś niedobitki po imprezie przychodzą na kebab. Zastanawiam się gdzie pojedziemy? Chyba zostaje hotel. Tak zrobimy. Pojedziemy do „Castle Inn", tego hotelu na starówce, w którym zawsze chciałem się przespać. No, ale że miałem swoje mieszkanie w Warszawie, no to by było trochę bez sensu. Dziś jest idealna okazja, aby tam wynająć pokój.

Chodzę w kółko, bo jestem tak podekscytowany! Cholera, jak ja jej przeleję pieniądze? A, mam iPada w samochodzie. Luz. Zrobię przelew przy niej. Pewnie kasa nie dojdzie na jej konto od razu, ale cóż. Idę do auta po sprzęt. Jest. Uff… całe szczęście. Biorę też prezerwatywy do kieszeni. Gdy wracam od samochodu, widzę, jak Nina wychodzi z taksówki kilka metrów dalej. Wygląda całkiem inaczej. Ma jeansy, tenisówki Reeboka i czarną skórzaną kurtkę. Z daleka wygląda jak modelka. Wysoka, szczupła, długie włosy. No, modelka. I ja zaraz będę ją mieć. Sam nie mogę uwierzyć w swoje szczęście!

— Cześć. — Podchodzi do mnie i widzę, że jest skrępowana.

— Czyli jednak się zdecydowałaś? — Uśmiecham się ciepło. Chciałem to powiedzieć bez ironii, ale chyba mogło to zabrzmieć trochę inaczej.

— Potrzebuję tych pieniędzy. Tylko dlatego to robię. — Wyszeptała tak cicho, że ledwo mogłem ją usłyszeć.

— Słuchaj, Nino...

— Wiktoria. Naprawdę nazywam się Wiktoria.

— Okej. Rozumiem, że nie chciałaś mi tam powiedzieć swojego prawdziwego imienia. Posłuchaj, Wiktorio. Nie chcę cię w żaden sposób wykorzystać. Chcę, byśmy razem miło spędzili noc. Nie myśl o tym jak o płatnym seksie. Podobam ci się choć trochę?

— Oczywiście, jesteś bardzo atrakcyjnym facetem.

— Więc pomyśl o mnie jako o gościu, który ci się spodobał i z którym chcesz trochę poszaleć. A niech pieniądze będą tylko miłym bonusem. Takim dodatkiem. Okej?

— Okej, ale to trochę ciężkie…

— Jest zimno. Chodźmy do mojego auta i pojedźmy do hotelu. Tam przeleję ci pieniądze, a później, no wiesz…

— Wolałabym taksówkę.

— Okej, to weźmy taksówkę. Tam stoi. Podejdźmy.

W milczeniu podchodzimy do taksówki, wsiadamy i każę kierowcy jechać pod Kolumnę Zygmunta. Widzę zdziwienie na twarzy Niny czy Weroniki. Myślę, że spodoba jej się ten hotel. Że to będzie miła niespodzianka. Za niecałe pięć minut jesteśmy już na miejscu. Płacę taksówkarzowi i wychodzimy. Dobrze, że prezerwatywy mam w kieszeni i jednak nie zostawiłem ich w aucie. I dobrze, że wziąłem iPada. Ja to jednak zawsze myślę o wszystkim. Pod samą Kolumną Zygmunta Wiktoria się zatrzymuje.

— Gdzie idziemy?

— Do hotelu. Chyba nie do ciebie, prawda? A na pewno już nie do mnie. — Puszczam jej oczko i się uśmiecham.

— Okej. Którego?

— Tego naprzeciwko.

Pokazuję jej hotel tuż przy starówce. Uśmiecha się.

— Nie wiedziałam, że tam jest hotel!

— Mam nadzieję, że to nie jedyny raz, gdy tej nocy jeszcze cię zaskoczę!

Wchodzimy do hotelu. W recepcji dowiadujemy się, że jest tylko jeden wolny pokój i to ten tuż obok recepcji. Magritte. Czy jakoś tak. Trudno, niech będzie. Płacę z góry kartą kredytową i wchodzimy. Pokój jest dość mały, ale ciekawie urządzony. Turkusowe ściany z czerwonymi akcentami. Na środku wielkie łóżko. Obok, na ścianie, dla ozdoby złote klatki dla ptaków, takie w bardzo starym stylu. Taki *vintage*. Czy, jak to zwą, retro. Jest też telewizor i stół z krzesłami. Szafa w kącie. Prawie wszystkie dodatki są z ciemnego drewna, łącznie z drewnianą podłogą. To chyba dąb. Bo chyba dąb jest taki ciemny. Wchodzę do łazienki. Jest bardzo duża, przy samych drzwiach stoi toaleta, obok zlew. W prawym rogu wielka wanna w bardzo starym stylu. Oj, wykąpałbym się w tej wannie z Wiktorią. Są ręczniki i jakieś przybory do kąpieli. Może po wszystkim Wiktoria skusi się na kąpiel ze mną?

Wracam do pokoju. Wyciągam z pokrowca iPada. Jezu, jak dobrze, że go wziąłem. Teraz, cholera, musiałbym po niego wracać. Ale ja zawsze o wszystkim myślę. Odpalam sprzęt. Wiktoria podchodzi do swojej torebki, którą położyła na stole, i wyciąga z niej jakiś świstek. Bez słowa podaje mi go. To numer jej konta.

— Usiądź, proszę, obok mnie, żebyś widziała wszystko dokładnie. — Pokazuję jej, by usiadła obok mnie na łóżku.

Siada bez słowa. Widzę, że jest zdenerwowana. Mogłem, cholera, kupić dla niej jakiś alkohol po drodze.

— Chcesz się czegoś napić? Pójść po coś? Może wino?

— Nie, dziękuję. Nic chcę nie pić.

— Jesteś pewna?

— Tak. Czuję się dobrze. Nie potrzebuję niczego.

Okej. Jestem na stronie banku. Wklepuję numer jej konta i kwotę. Dwadzieścia pięć tysięcy złotych. Widzę, jak z niedowierzaniem patrzy na te cyfry, kiedy wstukuję kolejne zera.

— Jak masz na nazwisko?

— A muszę mówić? Bo wolałabym nie. Chyba bez tego i tak dostanę pieniądze. Prawda?

— Tak, dostaniesz swoje pieniądze tak czy siak. Ale ty też będziesz znała moje dane, jak ci zrobię ten przelew. Nie widzę problemu.

Nie jest to może do końca prawda, bo robię jej przelew z konta firmowego. Chciałbym tak bardzo zobaczyć minę Sylwii, gdy zorientuje się, że przelałem dwadzieścia pięć tysięcy jakiejś Wiktorii. A może by tak... hmm. Czemu nie?! A co! Niech się dziewczyna cieszy! Niech zna mój gest! Dwójkę zamieniam na trójkę. Teraz ta noc kosztuje naszą kancelarię już nie dwadzieścia pięć, a trzydzieści pięć tysięcy złotych. A co, może się dziewczyna bardziej postara!

— Domagalska.

— Słucham? — I widzę, jak świecą jej się oczy po tym, jak zmieniłem kwotę. Chyba dziewczyna nie ma już żadnych wątpliwości. Pieniądze i kobiety. Boże...

— Wiktoria Domagalska.

— Dobrze. Teraz sprawdź, czy zgadza się numer konta.

Bierze ode mnie kartkę ze swoim numerem konta, którą mi przed chwilą dała, i dokładnie sprawdza na iPadzie, czy wszystko się zgadza. Sprawdza tak cyferka po cyferce trzy razy. Kiwa głową. Wciskam przycisk „zleć". Poszło. Odkładam komputer i patrzę na nią chwilę.

— Chcesz się wykąpać? W łazience są wszystkie przybory i ręczniki.

— Dzięki, wzięłam prysznic w klubie. Zawsze po pracy muszę się wykąpać.

— Okej. Chcesz, bym włączył telewizor czy coś? Bo tu chyba nie ma żadnego radia. Albo puszczę coś z iPada. Masz jakąś ulubioną muzykę?

— Nie, jest okej. Chcesz, bym się najpierw rozebrała? Mam się rozebrać sama? Czy ty to chcesz zrobić? — Nerwowo rozpina bluzkę.

— Wiktorio, musisz troszkę wyluzować.

— Wiem, ale to mój pierwszy raz...

— No, chyba nie jesteś dziewicą? — Śmieję się.

— Nie, no oczywiście, że nie jestem. To mój pierwszy raz, gdy, no wiesz… Robię to za pieniądze. Nie wiem, jak mam się zachować.

— Ja też nie wiem. Nigdy dotąd nie płaciłem za seks. Ale bądź spontaniczna. Nie traktuj tego jak seksu za pieniądze. Tylko tak jak ci wcześniej powiedziałem. Potraktuj to jak zabawę z facetem, który ci się podoba. Okej?

— Okej. Tylko nie zrobię tego bez prezerwatywy.

— Ja też. Nie martw się. Kupiłem wcześniej kondomy w aptece.

— To w porządku.

Przyciągam ją do siebie i zaczynam całować. Cudownie smakuje. Jakby przed chwilą jadła jakąś mambę czy coś w tym stylu. Jagody, tak, to smak jagód. Jest pyszna. Ciągle czuję, że jest spięta, więc delikatnie głaszczę ją po policzku i szyi. Czuję, jak się rozluźnia. Powoli rozpinam jej bluzkę i zamek w dżinsach. Ma aksamitną skórę, a jej kolor cudownie kontrastuje z białą pościelą. Ściągam jej bluzkę i podkoszulek. Zostaje tylko w białym staniku. Powoli ściągam jej jeansy, nie przestając jej całować. Mam z tym jednak mały kłopot, bo ma wąskie nogawki. Sama postanawia mi pomóc i ściąga je do końca. Ubrana tylko w bieliznę, sama rozpina mi spodnie. Jest już wyluzowana i chyba dała się ponieść chwili. Całujemy się coraz bardziej namiętnie.

Ściągam swoją koszulę i spodnie. Zostaję w samych bokserkach. Mam wzwód. Czuję, jak go pociera delikatnie przez materiał. Robię z nią to samo. Pocieram przez majtki jej cipkę. Czuję, że jest mokra. Zachęcony tym przewracam ją z pleców na brzuch. Ściągam jej majtki i niemal zdzieram stanik. Wyciągam z kieszeni spodni prezerwatywy. Odpakowuję jedną i ściągam bokserki. Weronika ciągle leży na brzuchu z głową w pościeli. Jedną ręką zakładam prezerwatywę, drugą sprawdzam, jak bardzo jest mokra. Jest. I to bardzo! Biorę poduszkę i wkładam jej pod łono. Wiem, że w ten sposób najlepiej mogę stymulować jej punkt G. Jest tak cudownie zgrabna. Nie ma na jej ciele śladu cellulitu. Jej skóra jest tak aksamitna i tak cudownie ciemna w porównaniu do mojej, że niesamowicie mnie to nakręca. Jej czarne, gęste włosy aż kuszą, by za nie złapać. I mocno pociągnąć. Ale jeszcze nie teraz. Nie chcę jej wystraszyć. Głaszczę ją po plecach i wkładam rękę pod jej brzuch. Idę do góry, szukam piersi. Są. Złapałem. Ma twarde sutki. Łapię je i ściskam, drugą ręką pieszcząc jej łechtaczkę. Czuję, jak robi się naprawdę mokra.

— Mów mi w trakcie coś po holendersku — szepcze.

— *De zachte ritmische bewegingen zullen je van binnen steeds sterker doen smachten naar de climax!* — mówię i wchodzę w nią. Czuję, jak zaczyna drżeć i szybciej oddychać. Jej podniecenie powoduje, że sam jestem coraz bardziej podniecony. Patrzę na delikatne krople potu na jej plecach, które mam ochotę zlizać. Robię to. Czuję, jak ją to podnieca. Jak na jej ciele pojawia się gęsia skórka. Widzę, jak cała drży. Trzęsie się z ekstazy. Jej głowa ciągle jest w pościeli. Słyszę stłumione jęki. Teraz jest ten czas. Łapię ją za włosy i odchylam jej głowę. Teraz słyszę wyraźnie jej jęki. W jej usta wkładam swój wskazujący palec. Zaczyna go ssać. Czuję, jak dyszy. Czuję, że zaraz eksploduję.

— *Ik kom! Ik kom! Ik kom!* — I doszedłem w niej.

Nie trwało to może za długo, ale nie mogłem się powstrzymać. Leżę chwilkę na jej plecach i razem ciężko dyszymy. Powoli wyciągam z niej penisa i czuję, że coś jest nie tak. Mam wrażenie, że... O kurwa, a jednak pękła gumka!

— Piecze mnie! — krzyczy nagle Wiktoria. — Jezu! Guma pękła, tak?!

— Obawiam się, że tak... — Ściągam z penisa pękniętą prezerwatywę. — Zdarzyło mi się to pierwszy raz.

— Boże! Boże! Co ja teraz zrobię! To jest kara za to wszystko! — Zaczyna płakać i tuli głowę w poduszkę.

— Spokojnie, pojedziemy po jakąś tabletkę po.

— Ale ja biorę tabletki antykoncepcyjne!

Uff, naprawdę mi ulżyło. To po co ta histeria?

— To czemu ty, dziewczyno, wpadasz w taką histerię? Nie będziesz przecież w ciąży. — Głaszczę ją po włosach.

— Jak to czemu? No, choroby weneryczne. I inne!

— Jeśli to cię uspokoi, to przez lata spałem tylko ze swoją żoną. Co prawda, ona miała kochanka, ale nie martwiłbym się o niego. On też na sto procent nic nie ma. Jest czysty. Raczej żadne choroby weneryczne ci nie grożą. Poza ciążą. No, ale skoro bierzesz tabletki…

— Idę się wykąpać!

I wybiegła do łazienki. Kąpała się tam chyba z pół godziny. I co jej to da? Histeryczka. W tym czasie zapaliłem sobie przy oknie. Dwa razy nawet. Przejrzałem co jest w telewizji. O tej porze, oczywiście, nic. Kiedy wyszła wreszcie stamtąd, już nie płakała. Ale wyglądała okropnie. Jak żywy trup. Usiadła obok mnie przy łóżku.

— To była kara. — Wpatrywała się pustym wzrokiem w telewizor.

— Wiktorio, chyba przesadzasz. Nic się takiego nie stało. Przecież nie zajdziesz w ciążę. I gwarantuję ci, że na nic nie choruję i niczym się nie zarazisz.

— Oddam ci te pieniądze.

— Nie, nie zgadzam się. Taką mieliśmy umowę i każdy dotrzymał jej warunków. To są twoje pieniądze.

— Nie chcę ich. — Łzy zaczęły ściekać jej po policzku. — Czemu się na to zgodziłam?

— Powiedziałaś, że ich potrzebujesz.

— No tak.

— A na co ich tak właściwie potrzebujesz? — Nie wiem czemu jej właściwie wcześniej o to nie zapytałem.

— Na operację. — Zaczęła szlochać.

— Przykro mi... Jakąś poważną operację?

— No właśnie o to chodzi... no, o to. — Szlochała coraz bardziej. — O to chodzi, że nie. Zbierałam na... powiększenie, no tych, no piersi.

— Ale dlaczego?! Ty masz przepiękne piersi!

— No tak, ale dziewczyny z klubu ze sztucznymi cyckami zarabiają dwa, a nawet trzy razy więcej na napiwkach. Szybko by się ta operacja zwróciła.

Teraz dopiero przypatrzyłem się jej bliżej. Mulatki mają naturalnie duże usta, ale jej wyglądały trochę nienaturalnie. Rzęsy też ma jakoś nienaturalnie długie. Piękne zęby mogą być zasługą dobrych genów, ale też świetnego dentysty czy tam ortodonty. Długie paznokcie to pewnie te, no te... no, tipsy. Że też piękne dziewczyny muszą jeszcze poprawiać naturę.

— Czemu to wszystko robisz? Chyba nie chcesz pracować w tym swoim klubie do końca życia? Zwłaszcza teraz możesz odejść, gdy masz na koncie trzydzieści pięć tysięcy złotych. — Zgarnąłem jej włosy za ucho.

— Prawda jest taka, że opłacam swojemu chłopakowi studia filmowe.

— Sam nie może na nie zarobić?

— No nie, bo jeszcze studiuje medycynę.

— Pogmatwane to trochę. To czemu nie zdecyduje się na jedną szkołę? — Ta dzisiejsza młodzież. Trzy fakultety, a potem nie mogą znaleźć pracy.

— Nie może przez swoich rodziców…

— Słucham? Nie rozumiem.

— To dosyć długa historia. Ale okej. Opowiem ci. Zaczęło się to od ojca Dominika, bo tak ma na imię mój chłopak. Jego ojciec to człowiek pochodzący z wielodzietnej, bardzo biednej rodziny. Miał zawsze tylko jedno marzenie — skończyć medycynę i pracować jako lekarz. Jednak dziadkowie Dominika, czyli rodzice jego ojca, mieli całkiem inne oczekiwanie w stosunku do syna. Miał pracować w gospodarstwie i opiekować się młodszym rodzeństwem. Miał im pomagać, a nie tracić czasu na jakieś tam studia. Ojciec Dominika nie miał więc nic do gadania i musiał zgodzić się z wolą rodziców. Wytrzymał, żyjąc w ten sposób zaledwie dwa lata. Uciekł z domu, z tej wsi, do Warszawy. Dostał się na medycynę. Skończył studia, specjalizację, poznał kobietę, spłodził dwóch synów. Ale już nigdy nie wrócił na wieś, nigdy więcej nie spotkał się ze swoimi rodzicami ani nawet z rodzeństwem. Dzień, w którym wybrał swoje marzenia, swoją przyszłość, był zarazem dniem, w którym wymazał na zawsze całą swoją przeszłość. I tego dnia obiecał sobie, że jego dzieci nigdy w życiu nie będą musiały walczyć o swoje marzenia. Że da swoim dzieciom to, czego nie dali mu jego rodzice. I tak, jak to sobie obiecał, tak mniej więcej zaplanował. I słowa danego samemu sobie również dotrzymał. Swoich synów od początku kształcił na przyszłych lekarzy, w szkole podstawowej kazał im uczyć się biologii i chemii, a w liceum anatomii. Obiecał, że będzie ich utrzymywał tylko pod jednym warunkiem — że będą studiować medycynę. Myślał, że zapewnia swoim synom to, czego sam nigdy nie miał, czyli możliwość studiowania na Akademii Medycznej. Ale tym samym tak naprawdę zabrał im to, czego kiedyś sam nie pozwolił sobie zabrać. Marzeń. Ojciec zrobił Dominikowi i jego bratu dokładnie to, co jego rodzice zrobili kiedyś jemu. Narzucił swoim dzieciom przyszłość. Narzucił im swoją wolę. Sam wybrał ich los. Dominik całe życie marzył o reżyserii, jego brat chciał studiować prawo. Dziś jego brat skończył już medycynę i jest anestezjologiem, a Dominik jest na ostatnim roku.

— No cóż, to się nazywa paradoks. Ten ojciec pewnie chciał dobrze, no, ale wyszło, jak wyszło. Jak zawsze, zresztą.

— Dokładnie.

Coś zaczęło wydawać dziwny dźwięk. Telefon?

— Co to? Chyba ktoś dzwoni do ciebie? — Rozejrzałem się po pokoju. Dźwięk dochodził z torebki Wiktorii.

— Tak, ktoś dzwoni i jednocześnie mój telefon piszczy, że bateria pada. — Podchodzi i wyciąga z torebki swoją komórkę. Dźwięk nagle ucichł. — No i padła na amen. Właśnie dzwonił Dominik. Będę się już zbierać.

— Okej, może zadzwonię po taksówkę?

— Byłabym ci bardzo wdzięczna.

W tej chwili zgasło światło i zapanowała całkowita ciemność.

— Spokojnie. — Szukam po omacku zapalniczki, którą zostawiłem przy oknie. Odpalam ją i szukam swojego telefonu.

— Doskonałe zakończenie wieczoru. — Wiktoria zaśmiała się dość nerwowo.

— Aha. — Znajduję telefon i zamawiam jej taksówkę. — Tak. Chciałbym zamówić taksówkę pod Kolumnę Zygmunta. Za dziesięć minut? Doskonale. Dziękuję.

— Okej, muszę teraz w tych ciemnościach poszukać swoich rzeczy. Pożyczysz mi zapalniczkę albo swój telefon? Komórka mi padła i nie mam czym świecić.

— Jasne, weź ją — podaję jej zapalniczkę. — Ja mam jeszcze swój telefon i iPada. Dam sobie radę.

Leżę na łóżku i patrzę, jak zbiera swoje rzeczy. Widzę, że rozgląda się bardzo dokładnie, by absolutnie nic nie zostawić. Wygląda jak przestępca, który zaciera ślady na miejscu zbrodni. Ach, kobiety. Najpierw coś robią, a później mają wyrzuty sumienia.

— To chyba już wszystko. Raczej nic nie zostawiłam.

— Sprawdź najważniejsze: portfel, telefon, klucze do mieszkania. Resztę można przeboleć. — Podszedłem do niej i pocałowałem ją. Chyba zaskoczył ją ten pocałunek, ale go odwzajemniła. I to nawet dość namiętnie. — Może chcesz jeszcze zostać? — zapytałem z nadzieją. Za trzydzieści pięć tysięcy złotych, szczerze mówiąc, spodziewałem się czegoś więcej. Co najmniej dwóch numerków i jakiegoś lodzika. Ale z drugiej strony, jestem już zmęczony i chcę zostać sam. Jakieś chore myśli krążą mi po głowie. Desperackie pomysły. Lepiej, żeby już wyszła.

— Nie, muszę już wracać, bo jest naprawdę późno. Nigdy o tej porze nie wracałam z klubu, a jeszcze na dodatek padł mi telefon i Dominik musi się naprawdę martwić…

— Rozumiem, ale może chociaż jeszcze pięć minutek? Hm? — No, w pięć minut mogłaby zrobić mi loda na do widzenia.

— Przepraszam, wiem, że za tę cenę nie tego się spodziewałeś, ale naprawdę nie mogę zostać. Ale mogę oddać ci te pieniądze.

— Nie bądź śmieszna. Rozmawialiśmy już o tym. Te pieniądze są twoje. Koniec i kropka.

— Przykro mi, że nie mogę ci dać nic więcej niż to przed chwilą… — Pocałowała mnie w policzek.

— Dałaś mi o wiele więcej, niż mogłaś. Dałaś mi zapomnienie.

— Nie wiem, co to dokładnie znaczy, ale cieszę się, że mogłam ci pomóc.

— Znaczy to wiele, ale nie mamy już czasu o tym gadać. Leć, bo ci taksówka ucieknie. Naprawdę niezmiernie miło było cię poznać, Wiktorio.

— Nawzajem. Może jeszcze kiedyś się spotkamy.

— Nie sądzę. — Bo taka była prawda. Byłem nawet na sto procent pewien, że to nasze ostatnie spotkanie. Czuję to. Wiem to na pewno.

— No cóż, nigdy nie mów nigdy. — Ucałowała mnie w policzek jeszcze raz, odpaliła zapalniczkę i poszła w kierunku drzwi. — To była szalona noc. Chyba najbardziej szalona i niezwykła w moim życiu… — powiedziała, trzymając już klamkę na wpół otwartych drzwi. — Pa.

I wyszła.

Rozdział 7

WIKTORIA

N ie mogę uwierzyć w to wszystko, co się właśnie stało. Jak pijana schodzę po schodach, prawie nic nie widząc, gdy oświetlam sobie drogę tym słabym płomieniem z zapalniczki. Nie mogę uwierzyć, że jeszcze przed chwilą uprawiałam seks za pieniądze... I nie mogę uwierzyć, że było mi nawet dobrze, dokładnie jak w moich fantazjach. Jestem chora. Jestem nienormalna. Mam jakiś defekt, chorobę psychiczną. Schizofrenię. To wszystko było nienormalne. Jak pijana mijam Kolumnę Zygmunta i rozglądam się za moją taksówką. Jak pijana wsiadam do niej. Jak pijana podaję adres. Jak pijana zajeżdżam do domu i płacę taksówkarzowi. Jak pijana otwieram drzwi i w pośpiechu rozbieram się. Jak pijana kładę się nago do łóżka. Jak pijana tulę się do Dominika. Jak pijana płaczę. Pijana zasypiam.

Rano budzi mnie straszny kac. Prawda jest taka, że przed spotkaniem z tym gościem wypiłam w naszym barze z gwinta na raz chyba z pół butelki jakiegoś wina. W połączeniu z wcześniej wypitymi drinkami wyszedł z tego niezły miks. Tak naprawdę byłam megapijana, gdy uprawiałam z nim seks. Nawet nie wiem, czy mi wpłacił te pieniądze. Nie wiem, czy to wszystko naprawdę miało miejsce, czy mi się tylko śniło? Dziwne, że on się nie zorientował, że byłam mocno nawalona. Ale wyczuć, to raczej nie wyczuł, bo przed spotkaniem zjadłam tyle skittlesów, że po tym, jak gumka pękła, wyrzygałam w kiblu prawie wszystkie. Boże, co za noc! Dominik jeszcze smacznie śpi obok mnie. To niesamowite, że jak kocham się z nim, to mogę mieć orgazm tylko wtedy, jak wyobrażam sobie kogoś innego. A wczoraj, gdy jedna z moich fantazji wcieliła się w życie, czyli seks za pieniądze, wyobrażałam sobie właśnie Dominika... To wszystko jest takie dziwne. Megadziwne... Dlaczego jestem tak chora? Tak mocno rąbnięta? Dlaczego, kochając się z moim chłopakiem, muszę wyobrażać sobie, jak mnie ktoś gwałci, rżnie za pieniądze w obskurnym burdelu albo jak wchodzi we mnie trzech

Murzynów? I każdy bierze się za inną dziurkę... Co jest ze mną nie tak? Czemu mi tak odbija? Czemu, choćbym nie wiem, jak bardzo bym chciała, mogę osiągnąć satysfakcję tylko wyobrażając sobie seks z kimś innym? Jakiś fetysz czy co? I tak miałam od zawsze. Od mojego pierwszego chłopaka. Wiem, że orgazm jest w głowie, ale...

— Wróciłaś. — Dominik właśnie otworzył oczy.

— Oczywiście, kochanie, że wróciłam. Przepraszam, ale telefon mi wczoraj padł. — Muszę mówić jak najmniej o wczorajszym wieczorze i jak najwięcej szczegółów zgodnych z prawdą. To zwiększa szanse, że z czasem moje zeznania zawsze mniej więcej będą się zgadzać.

— Czemu tak późno?

— Koleżanka odchodziła z pracy. Urządziłyśmy jej małą pożegnalną imprezkę. Wiesz, trochę wypiłyśmy i gadałyśmy. Straciłam rachubę czasu.

— Dzwoniłem do ciebie. — Posmutniał jakoś dziwnie.

— Wiem, mówiłam ci, że telefon mi padł i to właśnie w momencie, gdy do mnie dzwoniłeś. Wkurza mnie strasznie ta komórka, bo ona nie daje znać wcześniej, jak jej pada bateria. Piszczy dopiero, kiedy naprawdę za pięć sekund ma paść.

— Dzwoniłem do ciebie wczoraj, bo mój ojciec zmarł.

Cisza. Widzę, jak wpatruje się tępo w sufit i nawet nie drgnie. Tulę się do niego i zaczynam płakać. Głaszczę go po włosach i szlocham coraz bardziej. Jego ojciec nie żyje. A ja zamiast być wtedy z nim dawałam dupy za pieniądze... Teraz wpadłam w prawdziwą histerię i nie mogę przestać płakać. Nie wierzę, po prostu nie wierzę. Ostatnia noc była najdziwniejszą w moim życiu. Jakiś koszmar, który jeszcze trwa.

— Kochanie, tak mi przykro... — Głos mi się załamuje.

— Wiesz co w tym wszystkim jest najlepsze?

To, że w tym czasie pieprzyłam się z innym za jebane trzydzieści pięć tysięcy złotych?

— Co kochanie? — Całuję go w powiekę i już prawie przestaję szlochać.

— Ojciec zmarł na zawał. Niespodziewanie. We śnie. Piękna śmierć. Ale wczoraj wieczorem jeszcze zadzwonił do mnie koło siódmej i zgadnij, co powiedział?

— Nie wiem, co?

— Powiedział: Dominiku, ja to tak czasem marzę, że ty kończysz chirurgię, twój brat jest anestezjologiem i razem otwieracie klinikę chirurgii plastycznej. Chciałbym tego doczekać przed swoją śmiercią.

— Stary wariat. Musiał narzucić wam swoją wolę co do waszej przyszłości.

— Myszko, ty chyba nie rozumiesz. On nie żyje i akurat przed śmiercią powiedział właśnie to.

— Dominik, on dzwonił do ciebie co tydzień z takimi pomysłami. *Hello!* Nie pamiętasz?

— Nie wiem, co mam teraz o tym wszystkim myśleć...

— Przecież to nie jest jego testament. Nie mógł wiedzieć, że umrze za parę godzin.

— No, właśnie nie wiem. Myślę, że to jego ostatnia wola...

— Co chcesz przez to powiedzieć? — Czuję, że w jednej chwili wytrzeźwiałam.

— Zastanawiam się, że może po szkole rzeczywiście powinienem iść na staż, a potem robić specjalizację z chirurgii....

— Chyba, kurwa, sobie jaja robisz! — Wkurwiłam się na maksa!

— Wiktorio!

— Tak, wiem, że właśnie umarł twój ojciec, ale to jest jakieś niepoważne!

— O co ci chodzi?

— O co mi chodzi? — Podniosłam się z łóżka i stanęłam nad nim nago. — O co mi, kurwa, chodzi? A o to, że zapieprzam w jakimś pierdolonym barze, rozbieram się do naga przed jakimś pierdolonymi zboczeńcami, by opłacić twoją jebaną szkołę marzeń! A ty chcesz jednak pociągnąć medycynę? I to zwłaszcza teraz?! Kiedy wreszcie możesz rzucić to wszystko w cholerę?!

— Przede wszystkim usiądź, bo nie mogę się skupić, jak mi tak nad głową majtasz cyckami. Po drugie, z tego co pamiętam, kochanie, moje studia to jeden z kilku powodów, dla których pracujesz w klubie nocnym. Było też coś o pieniądzach i biednych koleżankach ze studiów, którym współczujesz i nie chcesz skończyć jak one. I po trzecie, żabko, umarł, kurwa, wczoraj mój ojciec, więc pytam, dlaczego tak dziwnie i agresywnie się zachowujesz? To nie w twoim stylu!

— Wiesz co, masz rację. Nie będziemy dziś o tym rozmawiać. — Już się nieco uspokoiłam.

— Jak chcesz.

— Kiedy pogrzeb? — Usiadłam obok niego i zaczęłam głaskać go po włosach. Jest w szoku i to nie jest czas, żeby się kłócić. Gada brednie, ale w końcu zmarł mu ojciec, więc rozumiem, że może się dziwnie zachowywać.

— Jutro.

— Już jutro?

— Tak wyszło… — Głos mu się znowu załamuje.

— Dobrze. O której?

— Trzynastej.

Wstaję i szukam mojego telefonu. O, jest. Zostawiłam go na szafce nocnej i podłączyłam go do ładowarki. Nawet tego nie pamiętam. Ale przypomniało mi się, że wczoraj w nocy zjadłam paczkę chipsów. Jezu, po alkoholu strasznie słabnie moja silna wola. Muszę iść dziś na siłownię, by to spalić. Nie mogę przecież, cholera, przytyć. Która jest teraz godzina? Akurat trzynasta, aż mnie przeszły ciarki.

— Mogę ci jakoś pomóc? — Kładę się znów na jego piersi i tulę do niego.

— Nie, muszę pojechać do mamy i pomóc jej to wszystko zorganizować. Wiesz, że nigdy nie była dobra w te klocki. A teraz jest tyle rzeczy do ogarnięcia. Jakieś akty zgonów, domy pogrzebowe. Zawiadomienie całej rodziny... Masakra jakaś.

— Okej, rozumiem. Tak mi przykro, maleństwo. Tak bardzo chciałabym ci pomóc.

— Wiem, maleńka, wiem.

— Twój brat przyjedzie?

— Już jest z żoną w drodze z Opola.

— Okej, to ważne, by w takich momentach rodzina była razem.

Całuję go w ucho. Delikatnie przejeżdżam czubkiem języka po jego małżowinie. Czuję jak przechodzą go dreszcze. Kładę rękę na jego bokserkach. Ma wzwód. To może pozwoli mu na chwilę zapomnieć o jego ojcu. Zjeżdżam głową na dół i spuszczam do połowy ud jego bokserki. Moje stwardniałe sutki zsuwają się po jego udach. Słyszę jęk Dominika. Biorę do buzi jego penisa. Nie jest zbyt czysty, ale nie chcę teraz wyganiać go do łazienki. Nie dziś. Prawą ręką trzepię mu, nie wyjmując czubka z ust. Wiem, że tak najbardziej lubi. Lubi, gdy pracuję i ręką, i ustami. A gdy kończy, lubi spuszczać się nie tylko do gardła, ale i na całą moją twarz. Dzisiaj jednak jestem bardziej delikatna. Wiem, że nie ma ochoty na bardziej agresywny seks, ja zresztą po wczorajszym też wolę kochać się ze swoim chłopakiem, niż rżnąć. Gdy jest na granicy orgazmu, przestaję i siadam na nim. To nasza ulubiona pozycja. Ale tu już muszę włączyć wyobraźnię, jeśli też chcę mieć orgazm. Tym razem daruję sobie fantazję o tym, że jestem dziwką w amsterdamskim burdelu. Miałam to wczoraj na żywo. I jak było cudownie, kiedy ten koleś szeptał mi tak do ucha po holendersku! To było tak bardzo podniecające! Zupełnie jak w mojej wyobraźni. Wiem. Jestem chora. Nienormalna. Brzydzę się czasem sobą. Jestem jak bohaterka *Pianistki* — filmu Michaela Haneke. Tyle że moje fantazje na żywo są jeszcze lepsze, bardziej ekscytujące niż w mojej głowie. Przykład z wczoraj to potwierdza. Choć to dziwne, że wyobrażałam sobie akurat Dominika... No, ale trzeba się skupić. Okej, widzę, jak porywają mnie do burdelu. Właśnie zakończyła się druga wojna światowa. Jestem młodą Niemką. Bardzo młodą. Porywają mnie do rosyjskiego burdelu. Rozdziewicza mnie brutalnie kilku brudnych i zachlanych Ruskich. Coraz szybciej jadę po Dominiku, aż oboje dochodzimy. W mojej chorej głowie widzę tylko stos ruskich ciał na mnie. Tulę się do Dominika i wreszcie otwieram oczy. Nigdy w życiu nie kochałam się z otwartymi oczami.

— Dobrze ci było? — Dominik głaska mnie po głowie.

— Jak zawsze, kotku. — Całuję go w policzek i wstaję. — Muszę siusiu.

Zawsze po seksie muszę się wysikać. Ponoć tak jest zdrowo. Poza tym nie mogę osiągnąć orgazmu, jeśli mam pusty pęcherz. Im bardziej chce mi się siku, tym intensywniejszy mam orgazm. Ciekawe, czy to normalne? Wezmę prysznic. Może pojadę z Dominikiem do jego mamy? Albo może nie. Bez sensu. Niech teraz pobędą sami całą rodziną. Tak chyba będzie lepiej. Pewnie jest już koło drugiej. Wezmę prysznic, zjem coś i pójdę na siłownię. Albo nie. Może pójdę na zakupy. Kupienie sobie czegoś ładnego zawsze poprawia mi humor. A teraz przecież wpadło mi trochę kasy. Grubej kasy. O, i muszę sprawdzić, czy w ogóle mam te pieniądze na koncie. Dziś na szczęście nie pracuję. Czemu dziś nie pracuję? Kurczę, miałam jakieś plany, ale… O, już wiem, co miałam robić dziś wieczorem! Moja bardzo stara znajoma jeszcze z czasów podstawówki zaprosiła mnie na jakąś imprezę medialną w „Zachęcie". Tej to się, kurczę, udało. Jest w moim wieku, a już jest panią dyrektor w największej agencji eventowej w Warszawie. Kiedyś naprawdę bardzo przyjaźniłyśmy się w podstawówce, dlatego czasem zaprasza mnie na tego typu imprezy. I czasem lubię na nie przyjść, wystroić się, poglądać te sławne twarze na żywo, napić się i najeść za darmo. Ale nie przyznałam się jej, że pracuję w klubie nocnym. Wie, że tańczę na mistrzostwach i że jestem na AWF-ie. Ale wstyd mi mówić, że jestem striptizerką. U niej wszystko ułożyło się tak perfekcyjnie… A ja? Ja jestem striptizerką i rozbieram się za kasę. A wczoraj nawet bzykałam się za kasę. Cholera, żebym nie zapomniała! Muszę sprawdzić swoje konto! Biorę ekspresowy prysznic. Dokładnie umyję się przed imprezą. Tak! Tak zrobię. Pojadę na zakupy i kupię jakąś ładną kieckę na wieczór. Wracam do pokoju i odpalam laptopa. Dominik robi śniadanie w kuchni. Wchodzę na swoje konto. Bingo! Trzydzieści pięć tysięcy złotych. Dominik woła mnie na śniadanie.

Jem w szlafroku. Nie chce mi się przebierać. Dominik prawie się nie odzywa. Widzę, jak bardzo jest smutny. Ale nie wiem, jak mogę mu pomóc. W takiej chwili jesteśmy po prostu bezsilni. Ale mam zbyt dobry humor, by być bardziej empatyczna. Trzydzieści pięć tysięcy złotych na koncie może zmienić perspektywę patrzenia na świat.

— Chcesz, bym pojechała z tobą do twojej mamy? — Głaszczę go po dłoni.

— Nie... Nie obraź się, skarbie, ale chcemy być dziś raczej sami w gronie rodziny.

— Tak myślałam, kotku, ale wolałam się upewnić.

— Pracujesz dzisiaj?

— Nie, dziś jest ta impreza Marzeny. Pamiętasz? Promocja jakiegoś alkoholu w „Zachęcie". Taka impreza *very exclusive*. Ale jak chcesz, to na nią nie pójdę. Może nie powinnam na nią iść...

— Nie, no, kotku, idź, życie toczy się dalej. Przecież to nie był twój ojciec, tylko mój.

— Wiem, ale twój ojciec był mi nawet bliższy niż mój własny...

— Bądź jutro na pogrzebie. To wystarczy. Będę cię jutro potrzebował. — Widzę, jak Dominikowi zaczynają szklić się oczy, ale powstrzymuje łzy. — Po prostu pójdziemy jutro razem na pogrzeb, a potem na stypę. Okej?

— Okej. — Głaszczę go po dłoni. — Pójdę tam na godzinę albo dwie. Żeby tylko Marzenkę zobaczyć i chwilę z nią pogadać.

— Zrobisz, jak chcesz. Ja wezmę ze sobą garnitur, bo dziś raczej będę spać u mamy. Zadzwonię później i powiem ci dokładnie co i jak. Ale chyba najlepiej byłoby, jakbyś tak jutro około jedenastej przyjechała do mojej mamy i stamtąd wszyscy razem pojedziemy na cmentarz.

— Nie ma problemu, kochanie. Na pewno chcesz, bym została tutaj, a nie pojechała teraz z tobą?

— Na pewno. Bądź jutro, okej?

— Dobrze. Kocham cię. Pamiętaj.

— Też cię kocham. — I znów w jego oczach pojawiły się łzy.

Wstał i poszedł do sypialni. Włączyłam telewizor w kuchni. Dominik jest uzależniony od telewizora. Mamy go też w salonie i sypialni. Czasem Dominik włącza je wszystkie naraz, jak, na przykład, sprząta. Zawsze któryś z telewizorów jest włączony. Ale nie dziś. Chyba po raz pierwszy, odkąd pamiętam, Dominik nie włączył telewizora. To jego fobia. Jego ojciec też był alkoholikiem jak mój. Mimo że lekarz, to też pił na umór. I robił awantury. Dominik zawsze wtedy włączał telewizor i regulował głośność na maksa. No i tak mu zostało do dziś. Dziwne. Ale jak telewizor nie dudni, to widzę, że zaczyna się zachowywać jak świr. Że zaczyna się strasznie denerwować i dostaje nawet biegunkę.

— Okej, mam garnitur. Zadzwonię wieczorem i ci wszystko powiem. Masz jakąś czarną sukienkę? — Dominik wszedł do kuchni i pogłaskał mnie po włosach.

— Mam. Jasne, że mam. Pozdrów swoją mamę i złóż jej kondolencje... — Znów chce mi się płakać.

— Widzimy się jutro. — Idzie do drzwi.

— Kocham cię! — krzyczę za nim.

— Też cię kocham. — Otwiera drzwi i wychodzi.

Po raz pierwszy od paru lat znów mam ochotę się pociąć. Czuję, jakbym tonęła. Patrzę na nóż leżący obok masła i ledwo mogę się powstrzymać. Wybucham płaczem. Muszę być silna, nie mam już piętnastu lat, by nie zdawać sobie sprawy z konsekwencji i tych strasznych blizn, jakie mi zostaną. Zarabiam swoim ciałem, nie mogę go kaleczyć. Moje ciało nie może mieć więcej wad. Wystarczy już, że mam blizny na nadgarstku i muszę codziennie nosić wielki, wstrętny zegarek, aby je zakryć. Ale może jest jakieś miejsce na ciele, którego nie będzie widać? Może uda? Nie! Pewnie, że nie. O czym ja myślę? Jezu, znów mnie pojebało. Przecież zarabiam swoim ciałem. Nie mogę przestać płakać i nie mogę przestać myśleć o tym, aby się pociąć! Co ja wczoraj zrobiłam? Co ja, kurwa, wczoraj zrobiłam?! Jestem dziwką. Tanią kurwą. No, może nie taką tanią, ale zawsze. Jestem pojebana. Muszę wyjść z domu i przestać o tym myśleć. Zakupy mi pomogą. Ale pewnie jak zwykle wydam za dużo i będę miała wyrzuty sumienia... Cholera, co jest ze mną nie tak? Zarabiam sporo, a czasem pod koniec miesiąca muszę pożyczać od Dominika, a on od swoich rodziców, bo wydaję prawie wszystko na ciuchy... Ale nie mogę się powstrzymać. W tym mieście każdy chce wyglądać pięknie, idąc Marszałkowską, każdy chce chodzić do kina, teatru, siłowni, na sushi, koktajle na Żurawiej i zakupy na placu Trzech Krzyży. A to wszystko kosztuje. A to wszystko, kurwa, kosztuje. I nie chodzi tu tylko o pieniądze. To miasto czasem wypacza.

Ubieram bieliznę, zakładam dżinsy i biały podkoszulek. Chyba trochę pada. Wkładam czarne kalosze Huntera i szukam mojej beżowej skóry. Jest. Wrzucam portfel i iPhone'a do czarnej skórzanej torebki od Marca Jacobsa ze złotymi jaskółkami. Włosy związuje w kok na czubku głowy. Szybki rzut okiem w lusterko. Wyglądam bosko. Czasem zajebiście być Mulatką. Czasem zajebiście być mną. Od razu poprawił mi się humor. Robię sobie szybki makijaż. Podkład, błyszczyk. Cudowne są te sztuczne rzęsy. Co prawda, co dwa tygodnie muszę wydać prawie dwie stówki na uzupełnianie, ale nie muszę pieprzyć się codziennie z mascarą. No, i jakie mam zajebiście długie i gęste rzęsy! Nie, no na to akurat warto wydawać kasę.

Wychodzę z domu i za trzy minuty siedzę już w metrze. Do centrum tylko trzy stacje. Cudownie mieszkać przy Polach Mokotowskich! Co prawda, koło więzienia, ale za to wszędzie jest blisko. Z centrum idę na piechotę do placu Trzech Krzyży.

Co prawda, mogę podjechać dwa przystanki tramwajem, ale mam ochotę zmoknąć. Mam ochotę pochodzić w deszczu. Zwłaszcza że nie leje jakoś mocno, tylko trochę kropi. I to jest takie oczyszczające. Czuję, że tego potrzebuję.

Doszłam do swojej mekki. Sklep Hugo Bossa, tu wydam kilka tysięcy.

I wydałam. Wydałam prawie piętnaście tysięcy. Wiem, jestem nienormalna. Ale to naprawdę były okazyjne ceny. Wiem, jestem chora, jestem zakupoholiczką. Ale potrzebuję tych rzeczy. Naprawdę. I starczą mi na lata. Nowe buty. Piękne, skórzane, czarne, za kolana i na słupku. Nie na obcasie. Więc będą doskonałe na co dzień. Ale i też na imprezę. I będę nosić je przez długie lata. Oczywiście z linii Boss Black. Z tej samej linii kupiłam jedwabną kobaltową sukienkę. Uwielbiam ten kolor. W nim wyglądam najlepiej. Nie mogłam się też oprzeć karmelowej torebce na złotym łańcuchu. I kupiłam piękną czarną sukienkę z linii Hugo. A do niej potrzebowałam czarnego płaszcza... Na pogrzeb oczywiście. No i ten niebieski płaszcz z Boss Black... No, doskonały do kobaltowej sukienki. Doskonały do karmelowej torebki i nowych kozaków. To będzie idealny zestaw na dzisiejszą imprezę. Jeszcze nigdy nie byłam tak odwalona, jak będę dzisiaj. Czasem stać mnie było tylko na mały dodatek z wyprzedaży czy Allegro. A dziś będę cała ubrana w nową kolekcję od Hugo Bossa! I po raz pierwszy nie będę się czuła gorsza od Marzeny. Jednak warto było bzyknąć się za taką kasę. To w końcu tylko raz. Ten jeden raz. Warto było choćby dla wyrazu twarzy Marzeny i tych wszystkich ludzi. No i z tym gościem było całkiem przyjemnie, poza epizodem z pękniętą gumką. Ale tak poza tym było okej. I teraz mam za to najwspanialsze ciuchy świata. I kilka małych dodatków. Zegarek i perfumy. No, ale uwielbiam Hugo Bossa. Uwielbiam ciuchy. Markowe, eleganckie. Pieprzę podróże czy oszczędzanie. Nieważne, ile zarabiam, bo pod koniec miesiąca i tak wydaję wszystko. Ale tylko raz się żyje. A ja kocham modę, kocham ciuchy! Kocham być w centrum uwagi i kocham, gdy w takim sklepie sprzedawczynie włażą mi w dupę. Uwielbiam takie życie. Tak zawsze powinno wyglądać. Chyba naprawdę zostanę pełnoetatową prostytutką. Zostało mi na koncie jeszcze dwadzieścia tysięcy. Tylko dwadzieścia tysięcy… A ja chcę żyć tak zawsze! Zawsze! Płacę i proszę sprzedawczynię, by zamówiła mi taksówkę. Zawsze chciałam to zrobić.

Z moimi wielkimi zakupami ładuję się do samochodu. Boże, jak sobie przypomnę, jak cudownie było przymierzać te wszystkie rzeczy, to aż ciarki przechodzą mi po plecach. Czułam się jak jakaś księżniczka. Zapomniałam o wszystkim. O Dominiku, jego ojcu, wczorajszej nocy. Co za uczucie. Nic się nie liczyło.

Tylko luksus i zakupy potrafią sprawić, że zapominam o wszystkich problemach. Cholera, moje życie zawsze powinno tak wyglądać.

Po drodze proszę taksówkarza, by zatrzymał się przy sklepie z alkoholami. Kupuję moëta, którego uwielbiam, a którego rzadko piję ze względu na jego cenę. Tym razem mogę sobie na niego pozwolić. Mam jeszcze kupę kasy na koncie. A raz się żyje! Należy mi się za te wszystkie stresy. W domu od razu otwieram go i nalewam sobie kieliszek do pełna. Jest po szóstej, impreza zaczyna się chyba o ósmej, ale raczej nikt nie przychodzi na takie eventy punktualnie. Przynajmniej z tego, co pamiętam. Może jeszcze zdążyłabym do fryzjera? Nie, to chyba nie jest dobry pomysł. Rozpuszczę włosy i wyprostuję. Muszę je umyć. Wypijam szybko całą zawartość kieliszka i idę do łazienki. A co tam, golę się też cała pod prysznicem. Troszkę odrosły mi już włoski na cipce, a Dominik nie znosi tam jakiegokolwiek owłosienia. Zawsze więc golę się na zero. Nienawidzi też prezerwatyw, dlatego ciągle muszę brać te pieprzone hormony. Cholera, ten mój facet nienawidzi sporo rzeczy. Na przykład, gdy noszę zbyt ekstrawaganckie ciuchy albo buty na zbyt wysokim obcasie. Cholera, może zdążę jeszcze napisać coś szybko w pamiętniku? Nic nie pisałam o ostatniej nocy, a to ważne. Zdążę, najwyżej się spóźnię, ale to przecież tylko pół godziny, a muszę jeszcze tylko wyskubać brwi, zrobić włosy i makijaż. Nie zajmie to w sumie więcej niż godzinę, a do „Zachęty" podjadę taksówką. Dobra. Gdzie mój pamiętnik?

Nawet zajęło mi to mniej niż pół godziny. Ale to jest mój nałóg. Muszę pisać co najmniej raz na tydzień. Jak długo nie piszę w swoim pamiętniku, to jestem chora. To chyba mój rodzaj autoterapii, tak jak terapią Dominika jest telewizor. Każdy dzieciak, którego rodzic był alkoholikiem, w coś uciekał. Tylko dzięki temu przetrwał. Dominik uciekał w telewizor, jego brat w palenie marihuany, a ja w pisanie. I w cięcie się. No, ale to było dawno temu. Wyrosłam już z tego. Z cięcia wyrosłam, ale pamiętnik prowadzę do dzisiaj. Okej, szybko suszę włosy i je prostuję. Jest dziesięć po siódmej. Dzwonię po taksówkę i zamawiam ją na punkt ósma. Spóźnię się piętnaście minut, ale ten koncert, co ma być gwoździem programu, zaczyna się dopiero chyba o dziesiątej. Zresztą, nieważne. Marzena będzie pewnie tam od siódmej, by wszystkiego dopilnować. Okej, pięćdziesiąt minut spokojnie mi wystarczy. Nalewam sobie jeszcze szampana. Od śniadania nic nie jadłam, ale za te wczorajsze chipsy powinnam dzisiaj w ogóle jeść i cały dzień spędzić na siłowni. Nieważne. Wypijam pół lampki i biorę się za *make-up*.

Jestem gotowa nawet przed czasem. Wyglądam nieziemsko. Sama muszę to przyznać. W kobaltowym kolorze jest mi najlepiej. Nalewam następną lampkę. Szukam papierosów zachomikowanych na imprezy. Znajduję je. Z torebki, którą miałam wczoraj, wygrzebuję zapalniczkę od tego gościa. PLAYERS. Zabawne. Jejku, ale to też było megadziwne i megaschizujące, jak zgasło to światło. Zapalam papierosa. Na co dzień nie palę. Dominik tego nie lubi. No tak, kolejna rzecz, której nie lubi. Ale czasem, jak zapraszamy jakichś gości na domówkę, to mamy awaryjną paczkę. A dziś czuję, że mam ochotę dużo palić. Pakuję papierosy do swojej nowej, ślicznej, karmelowej torebki. Jest naprawdę boska. Piję szybko i na pusty żołądek. Do tego ten papieros i chyba już jestem troszkę pijana. Ale czuję się zajebiście.

Wsiadam do taksówki punkt ósma i gdy taksówkarz odpala silnik, wreszcie dzwoni Dominik.

— Cześć kochanic, jak się czujesz? Do „Zachęty" — mówię jednocześnie do Dominika i do taksówkarza, który pyta dokąd jedziemy.

— Nie rozumiem. „Zachęty"? — Dominik jest jakiś zły.

— Jestem w taksówce, kochanie.

— Aaa, rozumiem. Czyli jednak zdecydowałaś się na imprezę?

— Idę na godzinkę i wracam.

— Okej. To na godzinkę, dobra? Bo jutro dobrze by było, żebyś była tu najpóźniej o dziesiątej. Moja mama zaprasza cię na śniadanie. Zjemy i pojedziemy razem na cmentarz.

— Dobrze. Dobrze kochanie. Będę nawet przed dziesiątą.

— Jest tragicznie, skarbie… — Słyszę, jak pociąga nosem. — Moja mama strasznie się załamała. Teraz leży na górze, mój brat przywiózł jej jakieś tabletki na uspokojenie. Chyba śpi…

— Tak mi przykro, kotku…

— Wiem, wiem, maleńka. Czas goi rany. Jakoś z czasem się z tym pogodzi… — Cisza. Sama nie wiem, co mam mu teraz powiedzieć, jak go pocieszyć. — Matka pięć razy pytała, czy na pewno będziesz jutro na śniadaniu. Chyba teraz trzymają ją przy zdrowych zmysłach właśnie takie proste rzeczy. Bądź jutro, pro- szę. To dla niej ważne. I dla mnie też.

— Będę, kochanie. Zobaczysz. Nie planuję zostać tam długo.

— Dobrze. Kocham cię.

— Ja ciebie też.

Wrzucam telefon do torebki. To niesamowite, że facet, który przez lata terroryzował swoją rodzinę, teraz jest tak opłakiwany. Nigdy nie zrozumiem tego kultu zmarłych. Byłeś całe życie skurwielem, umar- łeś i od razu wszystko ci się zapomina i wybacza. Ba, nawet zaczyna się idealizowanie zmarłego. Jak z tym pieprzonym Steve'em Jobsem, który był wrednym terrorystą i sukinsynem bez skrupułów. A teraz proszę! Ideał! I tak samo później o pijaku mówią, że czasem popijał, o awanturniku, że był czasem nerwowy. Nie rozumiem tego fenomenu. Ludzie mają krótką pamięć. O, jesteśmy już na miejscu. Jak dobrze.

Płacę taksówkarzowi i wychodzę z samochodu. Od razu widzę ten tłum, a wśród nich wiele sławnych twarzy i paparazzich. Tak naprawdę uwielbiam tego typu imprezy. I po raz pierwszy nie czuję się tutaj gorsza, jak jakiś pieprzony Kopciuszek! Czuję się wspaniale! I wyglądam wspaniale! I widzę, jak kobiety patrzą na mnie z zazdrością, a faceci z lekkim pożądaniem. Oj, naprawdę warto było wczoraj to zrobić! Warto było przespać się z tym gościem dla tego pięknego uczucia! Dla tych pieniędzy! Czuję się w tej chwili bosko! A dziewicą w końcu nie byłam, więc co takiego się stało? Wchodzę po schodach i przy wejściu podaję swoje imię i nazwisko. Cudownie być na liście gości. Przy szatni widzę Marzenę. Wygląda ładnie, ale to nic w porównaniu ze mną. To ja jestem dziś królową balu.

— *Wow!* Wyglądasz nieziemsko, dziewczyno! — Marzena całuje mnie w policzek.

— Dzięki, ty również. Dzięki za zaproszenie.

— Nie ma za co, no co ty. Miło cię widzieć. Ale masz naprawdę cudowną sukienkę. I te buty! I co za torebka! Jakieś markowe, co? Kosztowały chyba majątek!

— Hugo Boss.

— Hugo Boss?! — powtarza z niedowierzaniem.

— Tak, zgadza się — odpowiadam z nieukrywaną dumą.

— Obrabowałaś bank czy co?

— Nie, po prostu troszkę mi się poszczęściło i dostałam prawie z nieba trochę kasy.

— Zazdroszczę! Też tak chcę! Jakaś fajna praca? Wygrana w totka? Spadek?

— Nie, po prostu jednorazowy strzał. Dodatkowe zlecenie.

— Zlecenie na co?

— Takie ekstrawystępy. — Jezu, dlaczego ona tak musi drążyć ten temat?!

— Aha. Okej. A jak u Dominika? Myślałam, że będziecie dziś razem. Wpisałam cię na listę z osobą towarzyszącą. Zapomniałaś?

— Nie, pamiętałam. Ale nie bardzo jest teraz u niego okej. Jego ojciec wczoraj zmarł.

— O Jezu! Przykro mi...

— No, smutna sprawa...

— Gdzie on teraz jest?

— U swojej mamy. Chcieli być dziś sami tylko w gronie rodziny.

— Aha.

— Więc wpadłam właściwie na godzinę. — Dlaczego ona musi tak wszystko oceniać? No fakt, zmarł ojciec mojego faceta, ale życie toczy się dalej! *C'mon!*

— Okej, jak chcesz. Rozumiem. No ja muszę tu zostać jeszcze co najmniej z godzinkę, dopóki nie przyjdą wszyscy goście.

— Jasne. Gdzie jest bar?

— Tu zaraz, za szatnią. — Odwraca się i pokazuje mi.

— OK. Dzięki, Marza.

— Miłej zabawy. Za godzinę pewnie jakoś dojdę. Mam nadzieję, że jeszcze będziesz i zdążymy pogadać.

Boże, jak ta dziewczyna zrobiła się zarozumiała. Pewna siebie i wredna. Zostawiam mój cudowny płaszczyk w szatni i idę się napić. Choć mam wrażenie, że już jestem pijana.

Obchodzę jedną salę, w której zapewne będzie koncert. Cholera. Nikogo nie znam. Nie licząc znanych twarzy z telewizji, no, ale z nimi raczej nie pogadam. Idę do drugiej sali, gdzie jest bar. Jest tu tłum wylansowanych, zgrabnych, pięknych i bogatych ludzi. Tym razem jednak nie mam żadnych kompleksów. Sama wyglądam bosko. Idę do trzeciej sali, z której jest wyjście do palarni. Cholera, ktoś tu nieźle przesadził z klimatyzacją. W tym trzecim pomieszczeniu są wyeksponowane jakieś dwa obrazy. Wieczorem ma być ponoć loteria wizytówek i jakiś szczęściarz zgarnie jeden z tych obrazów. Są dziełem laski, która projektuje dla Louis Vuittona. Szkoda, że striptizerki nie mają wizytówek. Może powinnam sobie zamówić? Bo nawet fajne te obrazy. W moim ulubionym, zaraz po kobalcie, kolorze chili. Taka megasoczysta czerwień. Zajebiście wyglądałby jeden z nich w naszej sypialni. Dobra, trzeba się czegoś napić. Muszę dopchać się do baru. To jest chujowe w tego typu imprezach, że prawie nikogo nie znasz. Trzeba było jednak wziąć jakąś osobę towarzyszącą. Jakąś koleżankę, skoro Dominik nie mógł. Tak głupio teraz stać tu jak ten kołek. Tak sama przy tym barze. Marzena jeszcze z godzinę będzie stała przy wejściu. Kurczę... Może jednak wrócić do domu?

— Cześć.

— Cześć — odpowiadam automatycznie gościowi, którego kojarzę z telewizji śniadaniowej. Prowadzi sekcję o jakiś tajemniczych śledztwach, morderstwach, zaginięciach i innych takich.

— Piękna sukienka. Śliczny kolor. I tragiczna impreza. Nudna. Napompowana torebkami Birkin i botoksem. Sam plastik. Rozumiesz?

— Dziękuję za komplement. Ale przepraszam, czy my się znamy?

— Nie ma za co przepraszać. Ja ciebie na pewno nie znam. Ale ty pewnie znasz mnie z telewizji. I radia.

— *Wow*, jesteś strasznie pewny siebie. — Dopchałam się wreszcie do baru. — Drinka z sokiem żurawinowym.

— Strasznie słaby jest ten drink. — Facet nie dawał za wygraną. Blondyn, długie włosy, szczupły. Na oko — około trzydziestki. Brzydki, ale ma coś intrygującego w oczach.

— W takim razie proszę podwójny.

— Nie w tym sensie słaby. — Zaśmiał się. — Jak ci na imię, piękna czarna istoto?

— Wiesz, że to, co właśnie powiedziałeś, określa się rasizmem?

— Nie czepiajmy się etykietek.

— Sorki, ale podrywaj jakąś inną „czarną istotę". Ta nie jest zainteresowana.

— Kto powiedział, że cię podrywam? To ty mnie podrywasz. I prowokujesz.

— Niby jak? — Co za irytujący facet! Ale z drugiej strony, jest w nim coś strasznie pociągającego. Cholera. Pewni siebie faceci są, niestety, też bardzo seksowni. Pewnie ma dużego fiuta. I wygląda na dość inteligentnego.

— Ano tak, że niesamowicie pięknie wyglądasz i chyba nie kupiłaś tej kiecki tylko po to, by ładnie wyglądać, ale głównie po to, by robić wrażenie na facetach. Co ci się zresztą doskonale udaje. Spójrz tylko, jak każdy z nich na ciebie patrzy. Jak cię pragnie.

— Przepraszam, ale czy zawsze jesteś taki?

— Jaki?

— No taki... pewny siebie, arogancki i nadpobudliwy?

— Nie jestem wykreowany i nie jestem marionetką. Ani pajacykiem. Jeśli o to ci chodzi.

— Okej. — Dziwny typ. Nadpobudliwy, rozszerzone na maksa źrenice... Hmm... Amfa czy koks?

— Czemu tak dziwnie patrzysz? Nie rób takich min! Jesteś niegrzeczna. — Zaczął być trochę agresywny.

— Słucham?

— Spytałem cię, jak masz na imię. Nie odpowiedziałaś. To niegrzeczne.

— A ty jak masz na imię? — Jak chce tak odbijać piłeczkę, to proszę bardzo!

— Michał. Ale to pewnie już wiesz.

— Wiem. Widziałam twój program ze dwa razy. Uważam, że jest beznadziejny. Właściwie uważam, że to straszne gówno. Masz okropną manierę w głosie.

— Ty masz manierę. I sama jesteś beznadziejna. Ja podnoszę świadomość społeczeństwa.

— Boże, to najdziwniejsza rozmowa, jaką w życiu miałam. A myślałam, że ostatnich dwudziestu czterech godzin nic już nie pobije!

— A cóż to takiego niezwykłego wydarzyło się w ciągu twoich ostatnich dwudziestu czterech godzin, księżniczko? Kosmetyczka źle zrobiła ci trwałą? Albo źle wywoskowała ci pachwinę? Złamałaś paznokieć? Skończyły ci się podpaski? — Okropna jest ta jego maniera mówienia! Gada z taką straszną ironią! Co za koleś...

— Nie twoja sprawa.

— Lalka, szybko się gniewasz. Słabe z ciebie ogniwo.

— *Sorry*, ale jesteś trochę męczący, wiesz?

— Napij się i wyluzuj. Dla mnie to samo — powiedział do barmana, który podał mi drinka.

Biorę swoją szklankę, odwracam się do niego plecami i idę w kierunku palarni. Wychodzę na zewnątrz. Palę sobie spokojnie przy ogrzewaczu, jak najdalej od tego idioty. Jest tu o wiele cieplej niż w środku. No, co za palant z tego gościa! Że też zawsze tacy idioci muszą się akurat do mnie przyczepiać? Dobra, palę, szybko dopijam drinka i wracam do środka. Mała szansa, że spotkam kogoś znajomego, ale może Marzena szybciej skończy przy drzwiach i będzie miała chwilę, by pogadać.

Idę do drugiej sali. Mam nadzieję, że tam jest nieco cieplej. Niestety, nie bardzo. Idę do baru po drugiego drinka. I znów trafiam na tego dupka.

— Śledzisz mnie czy co? — spytał z tą swoją manierą.

— O co ci chodzi? — Jak on mnie drażni! Nawet nie staram się być miła.

— O co tobie chodzi? Nie wiem. Nie rozumiem.

Zamawiam kolejnego drinka, ignorując jego dziecinne pytanie.

— Ładna sukienka. — Nie daje za wygraną. Co za facet. Z jednej strony jest niemiły, niegrzeczny, arogancki i ciągle mnie obraża, a z drugiej ciągle zagaduje. I zrozum tu facetów.

— Dzięki. Już to mówiłeś.

— Gucci?

— Nie.

— Chanel?

— Nie. Jezu. Hugo Boss.

— Boss Black?

— Skąd…

— Mam dobre oko — przerywa mi.

— Jesteś gejem?

— Ocipiałaś? Czy ja wyglądam na geja?!

— Troszkę tak. Zwłaszcza z tą opaską. — Zawsze nosi ją w telewizji. Jak widać, na co dzień też się z opaską nie rozstaje. To trochę wieśniackie. Niby taki jego znak rozpoznawczy. Myśli, że to jest *cool*, a tak naprawdę wszyscy się z niego śmieją.

— Ta opaska, moja droga, to symbol.

— Niby symbol czego?

— Mnie. Człowieka renesansu.

Parsknęłam śmiechem. Już nie mogłam się powstrzymać. Co za dziwak. Że też tacy ludzie naprawdę istnieją. A do tego pracują w telewizji. Śmieszni, żałośni ludzie z show-biznesu, którzy na siłę starają się być bardzo oryginalni. Żałosne. O, jak dobrze. Barman podaje mi drinka. Zdecydowanie potrzebuję więcej alkoholu, jeśli mam tu stać i rozmawiać z tym palantem. Ale w sumie wolę to niż stać sama...

— Ty naprawdę jesteś taki na serio?

— To znaczy jaki?

— Jezu. To jest jakieś błędne koło.

— Bo nie rozumiem twojego pytania. Jestem dokładnie taki, jaki jestem. Powiedziałem ci już, że nie jestem żadną pieprzoną marionetką. Żadnym pajacykiem. A ty po prostu nie słuchasz.

— Jak jestem taka głupia i bcznadziejna, to po co jeszcze ze mną rozmawiasz? Żeby mnie obrażać?

— Podobasz mi się.

— I tak traktujesz kobiety, które ci się podobają?

— Mniej więcej.

— To jest słabe, wiesz?

— To ludzie są słabi. Jak ci na imię?

— Wiktoria.

— Dość banalnie.

— Dobrze, że Michał to bardzo oryginalne imię.

— Chodzi mi o twoją urodę. Nie jest zbyt polska.

— Ale ja jestem Polką. Urodziłam się tutaj, tak jak moi rodzice.

— Oboje są czarni?

— Słucham?

— Oj, nie obrażaj się. Normalne pytanie. Mam użyć określenia Afro-Polacy?

— Moja mama też jest Mulatką. Ojciec jest biały.

— Za komuny takie małżeństwo? No, no! Twój ojciec to dopiero musiał dużo pić!

— Wiesz co? Jesteś bezczelny! — Co za fiut!

— Czyli dużo pił — powiedział z nieukrywaną radością.

— Żegnaj.

Idę w stronę drzwi, by pogadać z Marzeną i powoli się pożegnać, ale po drodze ktoś łapie mnie za rękę. Cóż za zaskoczenie. To znów ten typ.

— Coś ty taka nerwowa?

— Słuchaj — podnoszę głos. — Jesteś aroganckim dupkiem i nie mam ochoty z tobą rozmawiać.

— O, widzę, że się poznaliście. — Marzena właśnie do nas podeszła.

— Słucham?

— Widzę, że poznałaś już Michała. Pamiętasz? Opowiadałam ci kilka razy o nim. Najbardziej arogancki prezenter w mieście. To on mi powiedział „wypierdalaj", jak nie chciałam zrobić mu loda.

Jezu, tu jest chyba jakaś ukryta kamera! Pamiętam, jak Marzena opowiadała mi historię o nim i lodzie, ale to było dawno, dawno temu. To było jeszcze za czasów liceum. Co prawda, każda z nas była już w innym ogólniaku, ale czasem spotykałyśmy się na plotki.

— Pamiętam.

— Stare dzieje. — Marzena zaśmiała się. — Nie mów tylko, że cię podrywa?

— To twoja koleżanka? — spytał Michał z oblesnym uśmiechem.

— No, Wiktoria. Ale przykro mi, jest już zajęta.

— Nie powiedziałbym. Poza tym, nie ma takiego wagonu, którego nie można odczepić. — Objął mnie w pasie.

— Tak mówią — Marzena zaśmiała się. Chyba śnię! Odebrało mi mowę. — Macie drinki? Ja muszę koniecznie się czegoś napić. Chodźmy do baru.

— Ja was, panie, na chwilę przeproszę, bo widzę moją producentkę. Ale zaraz do was dołączę.

— Będziemy przy barze — krzyczy za nim Marzena.

Idziemy do baru. Ciągle nie mogę uwierzyć w to, co się stało przed chwilą.

— Gadasz z nim?

— Z Michałem? Jasne! To wtedy, co kiedyś ci opowiadałam, to już stare dzieje. Poza tym pomógł mi

parę razy. Jak nie mogliśmy ściągnąć żadnych cele-
brytów na imprezę, to dzwoniłam do niego z prośbą
o pomoc i zawsze wtedy brał paru kolegów z telewizji
i kilku aktorów serialowych z jego stacji. Naprawdę
parę razy uratował mi życie.

— Ale on jest taki…

— Dziwny? No fakt, za dużo koki. Ale czasem jest
uroczy. No, i jest piekielnie inteligentny. I powiem ci,
że ma ogromnego…

— Ale jest nienormalny! — wtrąciłam jej. — I do
tego bezczelny, arogancki i agresywny.

— Oj, ja się przyzwyczaiłam. Po prostu taki jest.

— Z tego, co pamiętam, to on miał zespół o na-
zwie „Zrób mi loda”?

— No. To było dość zabawne. Nie chciał mi na początku zdradzić nazwy zespołu, tylko powiedział, że
nazwa jego kapeli to jest coś, co kobiety lubią najbardziej. A ja zgadywałam: czekolada, diamenty i tego
typu głupoty. Ach, dobre stare czasy liceum. Ale ty mu
chyba naprawdę wpadłaś w oko.

— Muszę się napić. — Wypijam do końca drinka
i zamawiam u barmana drugiego. — O której jest ten
koncert?

— Za pół godziny się zaczyna. Potem jest losowanie
wizytówek i można wygrać ten obraz. Widziałaś go?

— Tak, jest piękny. Szkoda, że nie mam wizytówki…

— Możesz też wypełnić ankietę, którą rozdają hostessy.

— Cholerka. Znów tu idzie.

— Witam panie, zamówiłyście sobie drinki? — Obejmuje nas obie.

— Tak. Michale, chyba nie zrobiłeś na Wiktorii najlepszego wrażenia. Ona się ciebie boi. — Marzena zaczyna się śmiać.

— Mnie?

— Aha. Zostawiam was samych, gołąbki, byście sobie o tym pogruchali. — Marzena wzięła swojego drinka i ucałowała mnie w policzek. — Widzimy się później. Muszę przypilnować koncertu i licytacji.

Wzięłam swojego drinka i wypiłam go niemal duszkiem. Zamówiłam kolejnego.

— *Wow*, niezły masz spust.

— Odczep się.

— Ałć. Ktoś tu zaczyna być agresywny.

— Stary, wybrałeś zły dzień i złą osobę.

— No tak, magiczne dwadzieścia cztery godziny. Zdradzisz, co się stało?

— Zimno tu. Zimno mi w nogi. Możesz coś z tym zrobić?

— Mam je sobie w dupę wsadzić?

— Nie. Nie, idioto. — Rozbawił mnie tym tekstem. Boże, chyba już jestem pijana. — Może powiesz

komuś, by zmniejszył klimatyzację? Hmm? Bądź ry-
cerzem.

— Chyba już jesteś pijana. Nie pij więcej.

— A ty jesteś dupkiem. — Wzięłam drinka, którego podał mi barman.

— Co więc zapijasz? Oblany egzamin? Utratę
pracy? Śmierć ukochanego psa? Ten złamany paznokieć?

— Ojciec mojego chłopaka zmarł wczoraj.

— Aha. A ty zamiast być z nim, pijesz tutaj i gadasz z nieznajomym. Pięknie.

— Nie twój zasrany interes.

Podchodzi do nas przepiękna, bardzo elegancka,
cudownie zgrabna blondynka po trzydziestce. Typ kobiety, który można określić jednym słowem — ideał.

— Michale, są już nowe informacje. Jutro mówimy
o tym od samego rana, bo to gorący temat. Wszystkie
materiały masz już na e-mailu.

— Jasne. Rano to przejrzę.

— Bardzo tajemnicza sprawa. Wszyscy szukają tej
dziewczyny.

I odeszła. Porusza się w taki sposób, że nawet
mnie, kobiecie, patrząc na nią, przychodzi na myśl
tylko jedno. Łóżko i dziki seks.

— Piękna kobieta. Kto to?

— Moja producentka. I moja była dziewczyna.

— *Wow*, jest niesamowita... — Naprawdę jestem pod wrażeniem. Wygląda po prostu perfekcyjnie. Takich ludzi ogląda się tylko w telewizji albo w ekskluzywnych magazynach. Ale nie na żywo... Jezu, takie kobiety nie powinny istnieć, bo każda inna przy niej nie ma żadnych szans! — A co to za sprawa? — Zmieniam szybko temat, by nie myśleć o tej królowej piękności, bo przy niej można tylko popaść w kompleksy.

— A do jutrzejszego programu. Jeden bardzo znany adwokat powiesił się wczoraj w hotelu. Tuż przed śmiercią przelał jakiejś lasce trzydzieści pięć tysięcy. Wszyscy jej teraz szukają. Tajemnicza sprawa. Ponoć tej nocy zgwałcił też swoją żonę. Analnie! Jakaś totalna masakra.

O Boże. Czuję, jak zaczynam się trząść.

— Jak się nazywa ten hotel?

— Nie wiem, jakiś na starówce.

— „Castle Inn"?

— No, skąd...

— O Boże!

Biegnę na oślep. Mijam po drodze zdziwioną Marzenę. Mijam szatnię i nawet nie biorę swojego płaszcza. Zatrzymuję się tuż przed budynkiem i zwracam. Co ja mam teraz zrobić? Muszę to sprawdzić, dowiedzieć się, co oni wiedzą! Wsiadam szybko do taksówki. Płaszcz. Cholera, mój płaszcz! Za dużo za niego zapłaciłam, żeby go tam zostawić. Mówię taksówkarzowi, że zaraz wracam. Cała się trzęsę. Nie mogę zebrać myśli. Biegnę najszybciej, jak mogę. Oczywiście zatrzymują mnie przy drzwiach i znów muszę podać swoje imię i nazwisko. Pieprzeni formaliści. Trzęsącą się ręką szukam numerka z szatni. Wysypuję w końcu wszystko z torebki i podaję numerek szatniarzowi.

— Wiktorio! — Znów ten dupek Michał. Boże, co za noc! A naprawdę myślałam, że wczorajszy dzień był najbardziej zwariowanym dniem w moim życiu. I że teraz będzie już tylko lepiej. Normalniej. Że cały koszmar już jest za mną…

— Odczep się ode mnie. — Wybucham niespodziewanym płaczem.

— Jeśli potrzebujesz pomocy, to mogę ci pomóc. Miałaś coś z tym wspólnego? Z tym adwokatem?

— Odczep się ode mnie. Po prostu odpierdol się — słyszę swój krzyk. Ludzie w szatni milkną i gapią się na mnie. Zdezorientowany szatniarz podaje mi płaszcz. Drżącą rękę biorę go i biegnę ile sił w nogach. Na schodach wykręca mi się noga. Chyba zerwałam ścięgno, bo boli jak cholera, ale i tak ciągle biegnę prosto do taksówki.

Jadę jak w transie. Nie wiem nawet, czy podałam taksówkarzowi właściwy adres. Boże, łzy same ciekną mi po policzku. Muszę jak najszybciej wrócić do domu i sprawdzić w necie co o tym piszą. Nie wierzę, po prostu nie wierzę w to wszystko, co się stało! Jak to możliwe, jak? Powiesił się? Czyli, że co? Zabił się zaraz po moim wyjściu? Ale dlaczego? I naprawdę zgwałcił swoją żonę analnie? To brzmi jak jakiś koszmar! Coś nierealnego! To się nie mogło naprawdę zdarzyć... To się zdarza tylko w filmach!

— Jesteśmy na miejscu, proszę pani. Czy wszystko w porządku?

— Tak. — Ocieram łzy i daję mu trzydzieści złotych. Wychodzę z taksówki, nie czekając na resztę.

Wyciągam z kieszeni płaszcza klucze. Szukam też swojego telefonu. Nie mam go w torebce! Kurwa! Zostawiłam go w tej pieprzonej szatni, jak szukałam tego jebanego numerka! Kurwa, kurwa, kurwa! Dobra, najpierw sprawdzę, co piszą w necie. Później najwyżej wrócę tam po telefon. Kurwa, to najgorszy dzień w moim życiu! Boże, chcę się obudzić, bo to jest normalnie jakiś koszmar!

Nawet się nie rozbieram, tylko po wejściu do mieszkania od razu biegnę do komputera. Nawet chyba drzwi nie zamknęłam. Trzęsącą ręką podnoszę klapę laptopa i odpalam go. Sekundy to teraz godziny. Idę do kuchni, gdzie jest jeszcze pół butelki moëta. Już jestem nieźle zrobiona, ale dziś muszę chyba upić się do nieprzytomności. Nawet nie nalewam tego szlachetnego trunku do kieliszka, tylko piję z butelki. Widzę nóż na blacie. Robię sobie głęboką szramę na ręce i patrzę, jak ścieka krew na kafelki w kuchni. Brudną ręką wygrzebuję z torebki papierosy. Teraz moja nowa cudowna torebka od Hugo Bossa jest cała umazana krwią. Odpalam papierosa. Dominik mnie jutro zabije za smród w mieszkaniu, bo nawet nie palę przy oknie. Dominik... Boże, on nie może się o tym dowiedzieć! To go dobije! Najpierw jego ojciec, a teraz to... Jezu, on mnie znienawidzi do końca życia! On mnie rzuci! Bo jak ja mu wytłumaczę dlaczego ten gość przelał mi trzydzieści pięć tysięcy?! Wszyscy się dowiedzą, że spałam z nim dla pieniędzy! I wszyscy pomyślą, że zawsze byłam dziwką. Że od dawna dawałam za pieniądze. Będą mówić, że jestem prostytutką! Jezu, wypieprzą mnie z klubu za spanie z klientem! Boże, to jakiś koszmar! Ja chcę się obudzić! Robię drugą szramę. Jeszcze głębszą niż poprzednia. Czuję się troszeczkę lepiej.

Wracam do komputera. Trzęsącą ręką odpalam Mozillę. Wchodzę w wp.pl. Jest! Kurwa! Jest! Pierwszy news na głównej stronie — *Tajemnicze samobójstwo znanego adwokata*. Piję na raz połowę tego, co zostało w butelce. Zaczynam czytać. Palę mach za machem.

Znany adwokat Paweł S. dzisiejszej nocy popełnił samobójstwo w jednym z warszawskich hoteli. Policja bada czy kobieta, z którą widziano go w ostatnich godzinach życia, ma jakiś związek z jego śmiercią. Wiadomo na pewno, że Paweł S. przelał jej tej nocy 35 000 zł. Również kilka godzin wcześniej pokłócił się z żoną, którą zaatakował, a następnie brutalnie

zgwałcił. Prokuratura nie wydała jeszcze oficjalnego
oświadczenia w tej sprawie.

— KURWA! — wrzeszczę na całe gardło i wypijam resztę tego, co zostało w butelce. Nie wierzę. Ja w to, kurwa, nie wierzę! Jeszcze przed chwilą byłam królową życia! Wszystko było takie piękne! A teraz? Koniec! To już jest koniec wszystkiego. Koniec mojego życia! — KURWA! Zaraz się chyba cała potnę!

Czuję, że jest mi niedobrze. Biegnę do łazienki. Rzygam. Wszystko dookoła zaczyna mi wirować. Chyba nigdy w życiu nie byłam jeszcze tak pijana. Czuję, że zaraz umrę. Opieram się o deskę i w tym momencie odlatuję w przepaść.

Ktoś mnie szturcha. Mocno szarpie. Otwieram oczy, ale widzę tylko mgłę. No tak, nie zdjęłam soczewek kontaktowych. Ale dlaczego? Gdzie ja jestem? Jezu, wszystko mnie boli i jest mi strasznie zimno. Ale najbardziej chyba boli mnie ręka i kostka. Otwieram szerzej oczy. Leżę w łazience na kafelkach. Leżę w mojej pięknej nowej sukience i cudownych butach, które są teraz całe zarzygane, ubrudzone krwią i gdzieniegdzie poprzepalane. Próbuję się podnieść, ale robi mi się niedobrze. Nagle przypominam sobie ostatni wieczór i trzeźwieję w ułamku sekundy.

— Coś ty ze sobą zrobiła? — Słyszę, że Dominik płacze. — Prosiłem cię, byś była przed dziesiątą u mojej mamy. Mówiłem ci, że to dla mnie ważne...

— Która godzina?

— Dwunasta. Martwiłem się dlaczego nie przy-jeżdżasz, a twój telefon odbiera jakiś facet, mówiąc, że chyba masz duży problem. Mogę wiedzieć, o co w tym wszystkim, kurwa, chodzi? I dlaczego to wszystko dzieje się akurat w dniu pogrzebu mojego ojca?! — Dominik jest cały zapłakany. Muszę naprawdę wy-glądać okropnie.

— Dominik…

— Masz pół godziny. Weź się ogarnij. Proszę cię. Błagam… — Jego głos się załamuje.

— Nie dam rady. Naprawdę. Tak bardzo mi przy-kro i tak bardzo cię przepraszam, ale naprawdę nie dam rady. — Wybucham płaczem. Czy on tego nie widzi, tego jak wyglądam? Jezu, wszystko przepadło. Mój związek, praca, nawet moje wspaniałe ciuchy są teraz szmatami nadającymi się tylko do wyrzucenia!

— Jak mogłaś mi to zrobić? Jak mogłaś doprowa-dzić się do takiego stanu?! I to właśnie dziś — krzyczy i płacze coraz głośniej.

— Przepraszam — bełkoczę.

— Nie wybaczę ci tego nigdy! — Wstaje i słyszę, jak potyka się o coś, krzycząc „kurwa!". Chwila ciszy, która zdaje się trwać wiecznie. I trzaśnięcie drzwiami tak głośne, że prawie rozsadziło mi czaszkę od tego huku.

RozDziAŁ 8

DOMINIK

Siedzę w samochodzie i próbuję to wszystko zrozumieć. Nie mogę tego ogarnąć. Takie obrazy chyba pozostają do końca życia, a nawet migają tuż przed śmiercią. Takich obrazów nigdy się nie zapomina. Są jak wiecznie powracający koszmar. Bo to był obraz z najgorszego koszmaru... Nawet gorzej, tak musi wyglądać piekło. Piekło, które dzieje się tu i teraz. Na jawie. Piekło w twojej głowie, gdy nie wiesz, co się dzieje z twoją ukochaną, kiedy zaraz macie jechać na pogrzeb twojego ojca. Piekło, gdy jej komórkę odbiera jakiś koleś z dziwną manierą w głosie i mówi, że ona ma chyba poważny problem.

I piekło, gdy wracasz do waszego mieszkania, do którego drzwi są otwarte na oścież, i znajdujesz ją w łazience całą we krwi, pociętą, rozmazaną, brudną, zarzyganą… Nie wiesz, co się stało i nawet nie masz siły zapytać, bo tak bardzo boisz się odpowiedzi. Z jednej strony wiem, że powinienem tam wrócić i się nią zaopiekować. Być przy niej, dowiedzieć się, co się stało, bo może ktoś jej zrobił krzywdę. Ale z drugiej strony znam ją. Wiem, że sama w jakiś sposób doprowadziła się do tego stanu. I, do kurwy nędzy, dziś jest pogrzeb mojego ojca! I jestem rozdarty. Mam wrócić do mieszkania? Czy jechać na pogrzeb? Czy ona może coś sobie zrobi? Ale jak nie przyjadę na cmentarz, to moja matka się załamie… Co ja mam, kurwa, zrobić! Z całej siły walę pięścią w kierownicę, aż mnie boli ręka, bo nie zdawałem sobie sprawy, że cały czas mocno zaciskam w niej zapalniczkę, o którą prawie bym się wypieprzył. Patrzę na nią tempo. PLAYERS. Dobra, muszę podjąć jakąś decyzję. Albo wracam na górę, albo jadę pożegnać mojego ojca i zapalić znicz na jego grobie. Łkam jak małe dziecko. Widzę, jak starsza kobieta, która mija mój samochód, badawczo mi się przygląda. Mam ochotę pokazać jej środkowym palec. Mam ochotę wyładować na niej cały swój gniew! Dlaczego ona mi to zrobiła?! Dlaczego akurat dzisiaj! Dlaczego, Boże! DLACZEGO! KURWA! Próbuję się uspokoić. Ocieram łzy. Ona musi poczekać. W końcu to jest pogrzeb mojego ojca, do jasnej cholery! Drugi raz nie będę mógł go pochować. To jest w tej chwili ważniejsze... Musi poczekać. Wiktoria musi poczekać.

Odpalam samochód. Jadę na cmentarz jak pijany. Ciągle myślę o Wiktorii i boję się, że coś sobie zrobi. Zaczynam mieć straszne wyrzuty sumienia, że ją zostawiłem w mieszkaniu. Że nie ma mnie teraz przy niej. A z drugiej strony jestem na nią tak bardzo zły, tak bardzo wściekły, że to stało się akurat dzisiaj. Właściwie co się mogło stać? Pewnie upiła się na imprezie i ktoś jej coś powiedział. A może przespała się z tym gościem, który odebrał jej telefon? Nie, no, kurwa, nie! Ona by nie mogła mnie zdradzić. Nigdy! Akurat pod tym względem ufam jej w stu procentach! Co się takiego mogło stać, no co, że akurat dziś, gdy jest pogrzeb mojego ojca, doprowadziła się do takiego stanu?...

Po drodze miałbym naprawdę o mały włos dwie stłuczki. Dobrze, że nie ma korków i to nie jest tak daleko, bo jestem już prawie spóźniony. Fuksem znajduję wolne miejsce na parkingu. Gaszę silnik i biorę dziesięć mocniejszych wdechów i wydechów. Muszę się uspokoić. Patrzę w lusterko — mam napuchnięte policzki i powieki. Ze schowka wygrzebuję ciemne okulary. Zawsze nie znosiłem buców, którzy nosili na pogrzebach bliskich ciemne okulary. Ale teraz wiem, dlaczego to robią. Nie chcę, by mama widziała mnie w takim stanie. Muszę być silny dla niej. Muszę jej dodać otuchy. Nie może mnie widzieć tak zapłakanego i spuchniętego. Zwłaszcza, że może się domyślić, że śmierć i pogrzeb ojca to nie jedyny powód. Zwłaszcza, że nie będzie na pogrzebie Wiktorii.

W kaplicy siedzą już wszyscy. Trumna jest otwarta. Nigdy nie zrozumiem tego zwyczaju. To jest chore. Najbliższych trzeba zapamiętać takimi, jakimi byli za życia. A teraz patrzę na bladą, upudrowaną twarz mojego ojca wykrzywioną w dziwnym grymasie. Patrzę na jego nienaturalną twarz tak, jak patrzę na twarze zmarłych ludzi w szpitalach czy podczas sekcji zwłok. Patrzę na niego i nie czuję, że patrzę na mojego ojca, tylko na coś sztucznego. Jakiegoś manekina, cielesną powłokę, która nie jest niczym więcej poza opakowaniem. Patrzę na niego i nie widzę mojego ojca. Chcę być skremowany. Nie chcę rozkładać się pod ziemią. Nie chcę, by moje ciało zżarły robaki. To jest niehigieniczne. Poza tym widzę, że prawe biodro ojca jest nienaturalnie ułożone. Wygląda na złamane. Mam nadzieję, że matka tego nie zauważy. Pewnie jak ubierali go w garnitur, musieli mu złamać. No cóż, stężenie pośmiertne. To się często zdarza.

Siadam koło matki, babki, brata i bratowej w pierwszym rzędzie. Zostawili dwa miejsca. Dla mnie i Wiktorii. Boli mnie ten pytający wzrok matki. Co mam powiedzieć?

— Mamo, Wiktoria bardzo przeprasza, ale bardzo źle się czuje. W całym tym stresie dostała okres, a wiesz, jakie ma bolesne miesiączki. — Boże, tylko to mi w tej chwili przyszło na myśl. Co za żałosna wymówka! Nie jestem dobrym kłamcą...

— Ale to pogrzeb twojego ojca...

— Mamo, nie mówmy teraz o tym.

Wszystko dzieje się tak szybko. Ksiądz mówi parę słów i widać, że bardzo się spieszy. Ruch w interesie pewnie jest dziś spory, a następni „klienci" już czekają w kolejce. Co za chuj. Za to mój brat wygłosił bardzo krótką, ale piękną mowę. Ciężko mi było się skupić na jego słowach, bo ciągle myślałem o Wiktorii, ale mówił mniej więcej o tym, że ludzie tak naprawdę nie umierają. Że żyją w sercach bliskich osób. W ich wspomnieniach i myślach. Że ludzie tworzą historię innych ludzi. Że przeszłość, w której teraz się tak naprawdę znaleźli, dla bliskich oznacza ciągle i teraźniejszość, i przyszłość. Bo oni ciągle będą żyć w sercach i myślach innych. Dlatego po śmierci trzeba pamiętać tylko o dobrych rzeczach i starać się kochać tę osobę nawet bardziej niż za jej życia. Bo teraz ta miłość jest na pewno łatwiejsza.

Pięknie to powiedział. Tylko dlaczego ten pieprzony ksiądz ciągle spoglądał na zegarek?! Zero empatii. Pasożyty pieprzone. Oczywiście zanim zamknęli trumnę każdy pożegnał się z ojcem. Podchodziła do niego cała rodzina, od tej najbliższej po tą najdalszą i znajomych. Większość płakała, prawie wszyscy byli ubrani na czarno poza jedną ekstrawagancką kuzynką. Na szczęście daleką. Głaskali ojca po dłoni, całowali w policzek. Tego też nie rozumiem. Nie chcę pamiętać tego chłodu. Wystarczy, że zapamiętam ten grymas ojca. Taki sztuczny i nienaturalny. Taki nie jego. Jakby nie on tu leżał...

Nad grobem zapaliłem znicz. Dobrze, że wziąłem zapalniczkę z mieszkania, bo nikt nie miał ognia. Nikt w tej rodzinie chyba nie pali. No, poza moim ojcem, co go, jak widać, szybko wykończyło... Mój brat też miał przez całą ceremonię ciemne okulary. I teraz też ma. Mimo że niebo było dziś bardzo zachmurzone, żaden z nas nie ściągnął ich nawet na sekundę. Myślę, że naprawdę coś by we mnie pękło, gdybym zobaczył mojego brata płaczącego. Zawsze wydawał mi się taki silny... Cały czas obejmowaliśmy mamę, on z jednej strony, a ja z drugiej. Bratowa szła za nami z babcią.

Po wszystkim, kiedy każdy z osobna złożył nam kondolencje, kiedy zostały złożone wszystkie wieńce i zapalone znicze, rozeszliśmy się do aut. Babcia miała jechać ze mną na stypę, ale poprosiłem brata, by ją zabrał. Muszę pojechać do domu i sprawdzić, co z Wiktorią. Nie daje mi to spokoju.

— Dominik, jak ona źle się czuje, to daj jej spokój. Przecież możesz zadzwonić i zapytać, czy wszystko jest w porządku. — Mama chyba naprawdę jest zła na Wiktorię, że nie przyszła i na śniadanie, i na pogrzeb… Gdyby tylko ją dziś zobaczyła…

— Mamo, zostawiłem telefon w domu. Sprawdzę szybko, co u niej, i jeśli lepiej się czuje, to przyjedziemy razem na stypę.

— Znasz adres tej restauracji?

— Jasne, że znam.

— Dojedziesz bez problemu?

— Dojadę. Nie martw się. Będę chwilę po was.

— No dobrze, no dobrze. Tylko nie zapomnij telefonu — dodała, wsiadając do samochodu.

Po drodze łamię wszystkie przepisy. Jadę najszybciej, jak mogę. Mam jakieś złe przeczucia. A to dziwne, bo nigdy ich nie mam. Właściwie nigdy nie mam żadnych przeczuć, bo nie posiadam czegoś takiego jak intuicja. Jeszcze nigdy nie jechałem tak szybko po mieście. Trzy razy szybciej przejechałem trasę cmentarz-dom niż dwie godziny temu. Jak burza biegnę po schodach. Drzwi zamknięte. Na zamek. Czy to dobrze? Nie wiem, cholera. Trzęsącą się ręką próbuję trafić w zamek. Chwilę to trwa, ale w końcu udaje mi się. Cały dygocząc, wpadam do mieszkania.

— Wiktoria! Wiktoria! Wiktoria! — I cisza. Krzyczę jeszcze głośniej. — WIKTORIA!

W kuchni jej nie ma. W sypialni też. Ani w salonie. W łazience też… Może pojechała po swój telefon?

Wyciągam swoją komórkę i dzwonię do niej. Ale od razu włącza się poczta głosowa. Dzwonię drugi raz. I trzeci. I czwarty. Ciągle to samo. Poczta głosowa. Ciągle dzwonię, a w tym czasie chodzę po wszystkich pomieszczeniach i sprawdzam dokładnie wszystko. Nawet pod łóżkiem i w szafie, czy może jej tam nie ma... I nie ma jej nigdzie.

Jest tylko jedna dziwna rzecz. Jej pamiętnik. Leżący na stole w kuchni. Zawsze go przede mną chowała. To znaczy, czy chowała? Nigdy go specjalnie nie chciałem szukać ani nigdy nie szukałem. Nie czułem takiej potrzeby. Zawsze ufałem jej w stu procentach. Ale teraz po raz pierwszy zostawiła go tu w kuchni, tak na widoku... Może chce mi przez to coś powiedzieć, czego boi się powiedzieć osobiście? Może właśnie chce, bym go przeczytał? Ale czy powinienem? No, i czy ja chcę go przeczytać? Nie ma jej tu, wiem, że coś się stało. Nie ma przy sobie telefonu. Dobra, chyba nie mam innego wyjścia. Biorę pamiętnik do ręki i otwieram na pierwszej stronie.

01.

Mówiono mi przez całe życie, że trzeba się zabezpieczać, myć rączki po jedzeniu i chodzić co niedzielę do kościoła. Mówiono też, że jestem czarna i mam słuchać innych. A mój przekorny charakter i tak zrobił, jak chciał, bo nade wszystko ukochałam każdy przejaw wolności własnej, wolności umysłowej, swobody obywatelskiej i zdobyczy rewolucji seksualnej. Nie obchodzi mnie, że inni mają gorzej, zawsze prześladowało mnie jedno. Że inni mają lepiej... I to, że inni mają lepiej, było moją obsesją, odkąd zaczęłam raczkować. A może z tą obsesją musiałam się już urodzić, by mieć siłę przeć do przodu? Wyrwać się z małego miasteczka do większego, a potem z większego do jeszcze większego, by trafić w końcu do największego — Warszawy? Może musiałam co jakiś czas wracać do małego miasteczka ze swojej przeszłości, by odzyskiwać to, co czasem traciłam — sens swojej ucieczki. Musiałam mijać starych znajomych, pić z nimi piwo i gratulować bardzo pomysłowej decyzji o wyjeździe do Irlandii. Musiałam znosić nudę i małomiasteczkową mentalność, złowrogie spojrzenie tutejszego proboszcza, gdy mówiłam dzień dobry *zamiast* szczęść Boże. *Uchroń mnie, Boże, od takiego życia, gdzie najszczęśliwszym dniem tygodnia jest sobota, kiedy to się można wreszcie porządnie najebać.*

Przerzucam kilkadziesiąt stron. To jej prywatna sprawa co tam sobie wypisuje. A już w ogóle nie interesują mnie wpisy z samego początku, bo mają chyba ze trzy lata. A może cztery? Cholera zresztą wie od jak dawna Wiktoria prowadziła pamiętnik, bo nie ma tu dat, a tylko numery wpisów.

223.

Dominik wie wszystko o mojej przeszłości. Nie wie tylko o jednym szczególnym zdarzeniu. Miałam wtedy może dwanaście lat. Ojciec pił już od czterech dni i nie było go w domu. To był typ maratończyka — potrafił pić na umór przez tydzień. Przyzwyczaiłam się do komentarzy w szkole i do życia w piekle. Mieszkałam przecież w małym miasteczku, gdzie każdy pił i każdy wiedział, kto pije, gdzie pije, z kim pije i ile pije. Ojciec od kilku dni zataczał się brudny, posiniaczony i cuchnący niestrawionym alkoholem po ulicach mojej małej miejscowości. Był odrażający dla mnie, ale nie dla mojej matki, która kochała go mimo wszystko i nie chciała słyszeć o rozwodzie. Tego dnia wrócił ledwo żywy i szaleństwo od progu zdradzała jego wykrzywiona twarz. Matka w tym czasie robiła obiad. Nikogo z rodzeństwa nie było w domu. Byłam tylko ja i matka. Ojciec wszedł do kuchni i zaczął dusić matkę, krzycząc: Zabiję cię suko! Ty dziwko, ty czarna szmato, zdradzasz mnie! Uduszę cię, ty czarna kurwo! Ty, ty dziwko ty! *I pewnie udusiłby ją, gdybym nie wbiła noża w jego*

— 232 —

ramię. Ocknął się z amoku. Usiadł na podłodze i łkając... zasnął. Czasem śni mi się ta sytuacja. I wtedy budzę się z krzykiem.

Oh fuck... Nigdy mi o tym nie mówiła...

224.

Wczoraj Dominik przytulił mnie mocno do swojej piersi i niechcący otworzył puszkę Pandory. To szambo już od paru lat prosiło się o wylanie. Dominik musiał wąchać to gówno, czy tego chciał, czy nie. Musiał. Bo kiedy byłam młodsza, próbowałam popełnić samobójstwo. Dlatego noszę ogromny, wodoodporny zegarek na prawym nadgarstku, którego prawie nigdy nie ściągam. Ściągam go tylko, jak tańczę. Nienawidzę jakichkolwiek ozdób czy biżuterii, ale noszę ten wielki, toporny zegarek, by zakryć blizny. Dominik ciągle zastanawiał się dlaczego. No i wreszcie musiałam wymienić w nim baterię i na jeden dzień prawy nadgarstek ujrzał światło dzienne. Na ten widok Dominik nie był gotowy. Myłam wtedy naczynia i pomimo upału miałam bluzkę z długim rękawem. Nie zauważyłam, gdy podszedł mnie pocałować. Zobaczył te czerwone blizny, te pijawki wsysające się w moje żyły. Wreszcie zrozumiał, dlaczego osoba tak bardzo nielicząca się z czasem jak ja liczyła go co do minuty tym potężnym, skrywającym mroczne tajemnice przeszłości, zegarkiem. Tej nocy wzięłam czerwoną szminkę i na lustrze w łazience napisałam moje jutro zaczęło się dziś. *Dominik rano zmazał moje i napisał* nasze. *Tego ranka kochaliśmy się jak szaleni. Byliśmy swoim jutrem. Kocham go.*

Pamiętam to... Jezu, nie powinienem chyba tego czytać... No, ale z drugiej strony... Ciekawość jednak zwycięża.

303.

Był kiedyś w moim życiu Grek. Był z pewnością czarującym wspomnieniem z wakacji. Kolejnym eksponatem w międzynarodowej kolekcji moich kochanków. Przy Greku promieniałam seksowną energią, która przyciągała innych mężczyzn niczym magnes. Przy nim czułam się jak suka na wystawie psów rasowych dumnie krocząca obok swojego pana. Miał najcudowniejsze przyrodzenie na świecie. Idealne do tego stopnia, że pragnęłam go każdym porem swojego ciała, mimo że nie pociągał mnie fizycznie. Nie był to typ urody, który zwróciłby moją uwagę w zatłoczonym autobusie. Ale ta namiętność... Dzika, nieokiełznana i przede wszystkim niepohamowana! Ba, nawet nie można nazwać tego seksem! Było to po prostu obudzenie zwierzęcej natury! Pieprzenie, ostre rżnięcie! Tak ostre, że wymagało nieludzkiej siły, by wdrapać się na szczyt Olimpu. Mieliśmy jednego boga — Erosa. Układaliśmy ręce w modlitwie na ołtarzu naszych spoconych ciał. Chcieliśmy dotrzeć do źródła naszej mocy, by spłynęła na nas jego łaska — nieskończone źródło rozkoszy. Chcieliśmy pić ze źródła bogini Afrodyty, której nero (to po grecku woda) jest afrodyzjakiem wszystkich kochanków. Oddając się przyjemności ciał, sprawiliśmy największą rozkosz naszym wygłodniałym duszom. Opowiadał mi o prostytutkach, które regularnie odwiedzał, będąc w armii. Podniecała mnie jego prostolinijność i szczerość, z jaką opowiadał te historie. Błagałam go, by wziął mnie tak, jak niegdyś wziął po raz pierwszy kurwę. By zrobił ze mną dokładnie to samo, co zrobił z nią. Podniecało mnie to tak bardzo! Wyobrażałam sobie, jak on, wygłodzony, spędzający całe dnie i długie noce w koszarach, tylko w towarzystwie innych mężczyzn, oczekuje na ten jeden jedyny dzień, gdy pójdzie do burdelu i da upust swojej męskości. Co wtedy czuł? Co czuła ta kobieta? Czy było jej przyjemnie? Czy miała orgazm? Prostytutki nigdy nie pozwalają się pocałować. Czy naprawdę tego chcesz? — *spytał. Pragnęłam tego bardzo. Moje wyobrażenie o jego nocy spędzonej z obcą kobietą, której płaci za seks, przerodziło się w fantazję, swojego rodzaju obsesję. Obsesję, która rozpalała wszystkie moje zmysły. Skończył we mnie chwilę po tym, jak wszedł.* I tak właśnie było. Szybko i powierzchownie. Płacąc za godzinę, chcesz jak najwięcej razy eksplodować w kobiecie. Nawet jeśli jest zwykłą kurwą, która robiła to z tysiącem podobnych do ciebie wygłodniałych żołnierzy, mając świadomość tych wszystkich poprzedników, chcesz zajebać tę kurwę na śmierć. Dlaczego? By to właśnie ciebie zapamiętała najbardziej. Najlepiej.

Co to ma, kurwa, być?! Jezu, ona tu rozpisuje się o jakichś innych kolesiach…

306.

Przeczytałam dziś niesamowity fragment w książce Janusza Głowackiego Good night Dżerzi. *Ten fragment nie daje mi spokoju. Tak bardzo mnie podniecił. Nawet wczoraj, kochając się z Dominikiem, wyobrażałam sobie, że to ja jestem tą kobietą pełną ruskiej spermy, porwaną do burdelu, gwałconą przez Ruskich. Dawno nie miałam*

tak silnego orgazmu. Chyba staje się to jedną
z moich ulubionych fantazji.

Jezu, nie wierzę… Nie mogę już czytać tych bzdur!
Co to ma być, do jasnej cholery?! Jakiś żart? Ukryta
kamera? Najpierw znajduję ją w takim stanie, że
nawet nie chcę sobie tego przypominać, a teraz to?
Nie, kurwa, nie! Przerzucam kartki na sam koniec
pamiętnika, bo mam już tego dość! Przeczytam jeszcze ostatni i może przedostatni fragment. Jej pismo
w dwóch ostatnich wpisach jest całkiem inne. Nerwowe, nieco koślawe. Może z tego dowiem się, co się
z nią stało, do jasnej cholery!? Co się właściwie stało
tej nocy? Chyba już nie będzie nic gorszego, niż to, co
właśnie przeczytałem… Czuję, jak łzy same spływają
mi po policzku. Jak mogłem żyć tak długo z kobietą,
której tak naprawdę w ogóle nic znałem?

385.

To, co daje mi nadzieję, to moja przyszłość.
To, co mnie określa, to moja teraźniejszość. To,
co mnie kształtuje, to moja przeszłość. Jest czas
siewów i czas plonów, czas, który był, i ten, który
pozostał. Zamknięta tu i teraz, w tej przestrzeni,
określonej dekadzie, jako ja, wyrwana z kon-
tekstu, zaprzeszła, wpleciona w labirynt puz-
zli, próbująca wkomponować się w obraz mojej

rzeczywistości. Stoję na fundamentach mojego dzieciństwa i niczym nocny portier w muzeum duchów czuwam nad jego eksponatami. Jest coś, co nie daje mi spokoju. To pytanie co by było *gdyby...? No właśnie, gdyby.... Gdybym tego nie zrobiła. Ale z drugiej strony to było zawsze moją fantazją, pewnego rodzaju obsesją. Tak. Przespać się z kimś za pieniądze. Zwłaszcza, że ten facet zapłacił za seks ze mną trzydzieści pięć tysięcy złotych!*

COOOOO?! Nie, kurwa nie! Co to ma znaczyć?! Nie chcę tego dalej czytać! To się, kurwa, tu rozpisała! Nawet nie chcę wiedzieć, co tam jest! Nie! Patrzę na ostatni wpis. Kartki są nieco ubrudzone krwią. To jest chore! Ona jest chora psychicznie! Kompletnie stuknięta suka!

386.

To koniec. The end. Fin. Finito. *Nara. Szuka mnie policja, więc to już tylko kwestia kilku godzin, kiedy wszystko wyjdzie na jaw. Nie tylko Dominik i mój szef dowiedzą się o tym, że przespałam się z tym adwokatem za 35 000 zł, ale dowie się cała pieprzona Polska, która czyta dzieciom jebane bajki na dobranoc. A później te jebane dzieci wierzą, że zostaną księżniczkami i poznają* swojego księcia. Ja wierzyłam w każdym razie. I miałam swojego księcia z bajki... To koniec wszystkiego. Wszystko się rozpadło. Przemieniło w pył. W nicość. Dominik dowie się wszystkiego. I zobaczył mnie jeszcze w tym stanie. Pociętą, odrażającą, marną... I to w dniu pogrzebu jego ojca... Jakże ten dzień jest symboliczny! Jestem nikim. Jestem nikim. Jestem nikim. Byłam, jestem i będę nikim. Zniszczyłam wszystko. Jestem zerem. Zniszczyłam swoje życie i życie innych ludzi. Jestem toksyczna. Nienormalna. Nienawidzę siebie. I jestem na dnie, na samym jego jebanym spodzie. Niżej już nie można upaść. Drżę. Moje pismo jest brzydkie, już nie takie perfekcyjne. Upadek jest jednak prosty. Upada się łatwo. Podnieść się jest znacznie trudniej. Upada się szybko. To już nie boli i nigdy tak naprawdę nie bolało. Bo tak miało być zawsze. Bo człowiek jest skazany na upadek i zawsze spierdoli wszystko, co w jego życiu jest dobre. Bo życie to piekło. Tu jest piekło. Tu, na ziemi! Tu, w nas samych! Bo piekło to umysł. Piekło to myśli. Piekło to rozum. Piekło to przeszłość, która ciągnie się za nami niczym najgorszy smród, zatruwając nam myśli i logiczne myślenie. Zatruwając uczucia i zdolność kochania. Kochania... Tego jedynego uczucia, które w tym piekle zwanym życiem nie ma gorzkiego

smaku... Piekło to w końcu czas, bo ciągle ska-
zuje nas na życie w przeszłości. A przeszłość
niszczy wszystko, pozbawiając i teraźniejszości,
i przyszłości... Za błędy popełnione nawet bardzo
bardzo dawno temu płacimy całe życie. Czasem
nawet i po śmierci. Jedna decyzja może zmienić
wszystko. Jedna chwila może przekreślić całe do-
tychczasowe życie. Dlaczego? Bo życie to piekło
i w trakcie jego trwania nie ma nic więcej poza
wieczną walką z samym sobą i swoimi demonami.
I w tej walce jesteśmy zawsze z góry skazani na
przegraną. Nie ma nic więcej poza wiecznym ma-
razmem naprzemiennego szczęścia i nieszczęścia
z miażdżącą przewagą tego drugiego. Poza mara-
zmem w pętli czasu, która ostatecznie zaciśnie się
na naszej szyi, powodując bolesny, powolny roz-
kład... Powodując śmierć i cielesną, i duchową.
Życie to piekło. A piekłem łatwo się zarazić, jest
jak najgorsza epidemia. Piekło mnie otacza i pie-
kło mnie pochłonie. Wiem to. Czuję to. Czuję zbli-
żającą się APOKALIPSĘ. Wiem, że nadejdzie,
wiem, że jest blisko. I wiem, że każdy człowiek ją
w sobie hoduje. Każdy, kto miał styczność ze mną.

Po raz drugi odważyłem się przeczytać ten ostatni
wpis dopiero kilka miesięcy po tym, jak to wszystko
się stało... Wtedy nie zrozumiałem. Teraz rozumiem.

Już rozumiem, o co chodziło jej z tym piekłem. Staram się nie myśleć o przeszłości, choć nie jest to łatwe. Przeszłość powraca do mnie prawie każdej nocy. Mam koszmary. Zacząłem palić, rzuciłem szkołę filmową, skończyłem medycynę... Ale to zrobiłem akurat dla ojca.

Zabrałem wtedy ten jej pamiętnik. Nie wiem po co. Nie wiem też, po co akurat dzisiaj znów wziąłem go do ręki. Dziś jest mój pierwszy dzień stażu, może właśnie dlatego chciałem jeszcze raz przeczytać ten ostatni wpis? Bo to nie będzie proste. Zaczynam staż w PKD na Chmielnej. W bezpłatnym punkcie konsultacyjno-
-diagnostycznym dla osób, które chcą się przebadać na obecność wirusa HIV. Najpierw przez pierwsze pół dnia będę wypełniać ze zgłaszającymi się osobami ankiety, oczywiście anonimowo. Potem będę rozdawać koperty z wynikami. I tych kopert boję się najbardziej... Wiem, że niektóre z nich będą zawierać wynik pozytywny. Co prawda teraz można przy dostępnych lekach z HIV żyć normalnie, ale... No właśnie, ale dla większości z nich to będzie koniec świata... Boże, jak doskonale pamiętam mój koniec świata...

Dojeżdżam tam piętnaście minut przed czasem. Poznaję osoby, z którymi będę tu pracować. Zakładam fartuch, robię kawę, którą przyniosłem z domu, i układam ankiety. Są w niej bardzo intymne pytania. O ilość partnerów seksualnych, o stosunki analne i oralne, o zażywanie narkotyków… To jest, niestety, niezbędne. I z jednej strony dość fascynujące, że poznam życie seksualne tych wszystkich ludzi. Że poznam tak naprawdę historię ich życia. Najbardziej intymne szczegóły… Będą tu przychodzić ciężko uzależnieni narkomani, prostytutki, ale też zwykli ludzie, którzy gdzieś kiedyś ten jeden jedyny raz zaszaleli i poszli na żywioł z przypadkową osobą bez prezerwatywy. I będą płacić za to do końca życia. Lub też nie. Szczęściarze…

Wypełnianie ankiet jest interesujące, choć nie przychodzi zbyt wiele osób. Do połowy dnia przyszło tylko sześć. Niektórzy bez zahamowań odpowiadali na pytania. Niektórzy mieli z tym duże problemy. Dla jednej z osób nie był to tutaj chyba pierwszy raz. A jednak ludzie nie potrafią uczyć się na własnych błędach. No, ale myślałem, że ruch będzie znacznie większy. Czy to dobrze? Nie wiem. Dobra, pora teraz iść na górę. Tego najbardziej się boję. Tych przeklętych kopert.

Przed gabinetem siedzi już pierwsza pacjentka i czyta gazetę. Jest spokojna. Wygląda na spokojną. Jakoś koło trzydziestki, bardzo ładna. Mam nadzieję, że jest zdrowa. Otwieram drzwi do gabinetu i mówię jej, że za chwilę ją poproszę. Na stole leżą już koperty. Strasznie się denerwuję, więc włączam telewizor. To chore, wiem, ale telewizor pomoże mi się nieco uspokoić. Prawie do końca ściszam dźwięk. Ustawiam prosto koperty i wołam pacjentkę. Naprawdę potwornie się denerwuję…

Wchodzi. Wyraz twarzy ma pogodny. Siada, kładzie na stole swoją gazetę i torebkę. To zaczynamy.

— Dla formalności muszę jeszcze zadać pani kilka pytań. Dobrze?

— Tak, oczywiście.

— Kiedy ostatni raz uprawiała pani stosunek bez zabezpieczenia?

— Jakiś rok temu.

— Okej, to badania w takim razie nie trzeba będzie powtarzać, bo minęły ponad trzy miesiące od niebezpiecznego stosunku. A jaki był powód zrobienia badania?

— Chcę zacząć brać tabletki antykoncepcyjne, więc zdecydowaliśmy z chłopakiem, że dla pewności i on, i ja zrobimy sobie test.

— Rozumiem. Proszę podać numer i swoje hasło.

— Jeden-cztery-dwa-trzy-dziewięć-osiem. Hasło: Miki.

Szukam koperty z hasłem i przyklejonym do niej numerkiem. Mam. Podaję jej kopertę. Sam bardzo się denerwuję tym wszystkim. Bierze ode mnie kopertę. Patrzę na nią i już wiem, jaki jest wynik. Nie musi nawet nic mówić…

APOKALIPSA

Siedzimy dłuższą chwilę w ciszy. Odebrało mi mowę.

— To nie jest wyrok — mówi ściszonym głosem lekarz.

— Przepraszam, ale czy mogę zapalić? Wiem, że tu nie można, ale..

— Jasne. — Wyciąga z fartucha marlboro light i odpala mi zapalniczką. Jest srebrna i ma napis PLAYERS.

— Miałam kiedyś identyczną zapalniczkę. Jakie to dziwne…

Próbuję sobie przypomnieć, co się stało z moją zapalniczką. Nie wiem, czemu właśnie w tej chwili myślę o tej zapalniczce... Co się z nią stało? Chyba zostawiłam ją wtedy u tego aktora po tym, jak zrobił mi te obleśne fotki pod prysznicem w masce Iron Mana... Ale skąd właściwie ją miałam? Naprawdę, nie pamiętam...

SPIS TREŚCI

55989